Menuiserie
techniques de base & projets à réaliser

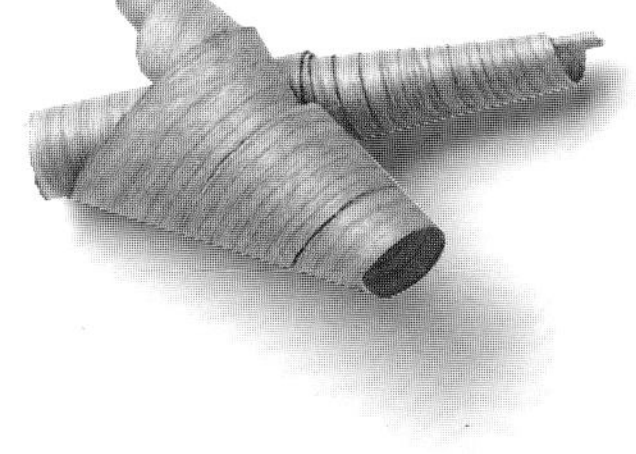

Menuiserie
techniques de base & projets à réaliser

Dick Burrows

LA MAISON RUSTIQUE
Flammarion

Traduit de l'anglais par Thomas Giudicelli

Ouvrage réalisé par Quantum Books Ltd, Londres
Titre de l'ouvrage original : *Basic woodworking techniques*

N° d'édition : FX062901
ISBN : 2-7066-0629-0
Imprimé à Singapour

Adaptation : Isabelle Técher, T.E.A.M, Paris
Maquette de couverture : Studio Flammarion

SOMMAIRE

Première partie : OUTILS ET FOURNITURES

Deuxième partie : PROJETS À RÉALISER

Première partie :
TECHNIQUES DE BASE

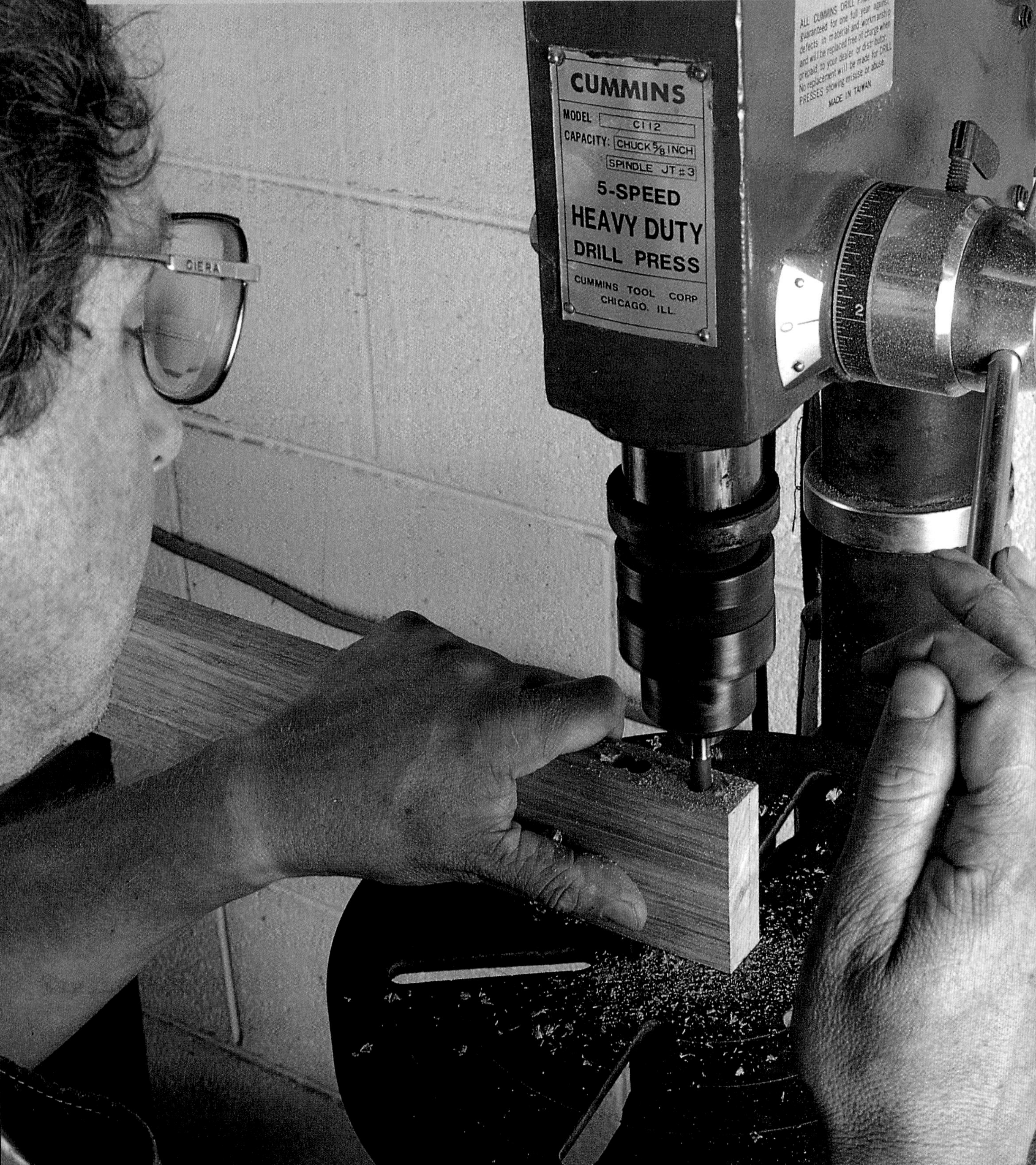

1. INTRODUCTION

Bien peu de personnes restent insensibles aux charmes du bois, matériau noble, pratique et polyvalent. Qu'il s'agisse d'une pièce de marqueterie ou d'une simple table de cuisine en pin, nous pensons toujours qu'elle est l'œuvre d'un ébéniste accompli ; il nous vient rarement à l'esprit qu'un menuisier amateur puisse venir à bout d'un assemblage à queues d'aronde ou, mieux encore, façonner un meuble en son entier.

Menuisiers et ébénistes partagent un secret bien gardé : le travail du bois est un art beaucoup moins difficile qu'il ne paraît. La construction d'un buffet, d'un bureau ou d'une grande pièce de mobilier nous semble le plus souvent dépasser nos capacités ; en fait, le meuble le plus élaboré se révèle beaucoup plus simple dès lors qu'on le décompose en éléments.

Les techniques de façonnage sont à la portée de tout amateur un tant soit peu déterminé et méthodique. L'élégant assemblage à queues d'aronde, longtemps considéré par les travailleurs du bois comme la preuve d'une suprême habileté, ne nécessite que quelques opérations peu complexes. Si vous êtes capable de tracer un trait droit et de scier proprement le long de celui-ci, la route du succès vous est ouverte.

Cet ouvrage présente les techniques de base nécessaires à l'élaboration de meubles simples. Lorsque vous aurez assimilé les connaissances essentielles concernant la nature du bois, le dimensionnement, l'affûtage, ainsi que le maniement des scies à main, des ciseaux à bois et de divers outils électriques, vous serez à même d'éprouver la satisfaction liée au travail de ce merveilleux matériau.

Le bois fascine les hommes depuis la nuit des temps ; ce matériau chaleureux et facile à œuvrer est présent dans toutes les parties du monde. Durable et peu onéreux, il donne naissance à des milliers d'objets, de l'hameçon au soc de charrue en passant par les charpentes des habitations. Chaque découpe d'une pièce de bois révèle des motifs et des couleurs qui intriguent l'esprit et ravissent l'âme.

Exercez-vous sans relâche, et prenez soin, pour chacun de vos projets, de procéder étape par étape. Une fois assimilées les techniques de base, de nombreuses années vous seront nécessaires pour devenir un artisan émérite. Apprendre à dessiner et concevoir un meuble pourra vous prendre plus longtemps encore. Il y aura aussi de nouvelles idées à mettre en pratique, mais cela fait partie du charme ! S'il n'y avait constamment à apprendre, le travail du bois deviendrait vite lassant. Même le plus mordu des joueurs de golf jetterait ses clubs dans le lac s'il envoyait la balle dans le trou à tous les coups !

Vous découvrirez probablement que les fruits de vos premiers efforts n'auront rien à envier à certains des meubles vendus dans le commerce, et que leur originalité ne manquera pas d'impressionner vos parents et amis.

2. ÉQUIPEMENT DE BASE

SÉCURITÉ

Le travail du bois est une activité dangereuse. Ne laissez jamais votre enthousiasme ou votre confiance dans l'outil utilisé vous conduire vers l'imprudence. Un outil à main peut aisément couper un nerf ou un tendon. Une scie sur table ou toute autre machine-outil est assez puissante pour trancher un doigt, voire pire encore, en un clin d'œil. Soyez toujours d'une extrême prudence dans l'utilisation d'un outil électroportatif ou d'une machine-outil. Lisez attentivement le livret d'instructions du fabricant, et plus particulièrement les consignes de sécurité. Utilisez tous les capots et accessoires de protection prévus pour l'outil. Ne travaillez qu'en parfait équilibre et évitez de vous pencher exagérément au dessus d'une machine. Veillez toujours à la propreté de l'atelier afin de réduire vos chances de trébucher sur une rallonge ou sur une chute de bois. Retirez alliance ou gourmettes et assurez-vous que vos manches de chemises et autres pièces vestimentaires restent hors de portée des lames. Portez toujours des lunettes de protection et, si nécessaire, un masque anti-poussière : la poussière de bois peut être néfaste pour vos poumons.
Les consignes qui suivent relèvent à la fois de mon expérience et du simple bon sens. Ne tentez pas d'exécuter une procédure que vous ne comprenez pas : demandez à quelqu'un de vous indiquer la marche à suivre. Si vous sentez que ce que vous vous préparez à effectuer comporte un risque, ne tentez pas le diable. Suivez votre instinct. Renoncez à utiliser un outil ou une machine qui vous fait peur, et évitez de tout précipiter pour finir le projet en cours avant le dîner ; c'est en général dans ces moments-là que le malheur arrive.

Lorsque je me suis lancé dans la menuiserie en amateur, je consultais avec avidité tous les catalogues d'outillage qui me tombaient sous la main, convaincu d'y trouver l'instrument magique qui décuplerait mon habileté. De façon plus cynique, ma femme prétendait que j'étais prêt à dépenser tout l'argent du ménage à seule fin d'économiser mes efforts ; elle avait raison.

L'outillage est important, mais l'apprentissage et la pratique des techniques de base le sont bien plus encore. Prenez votre temps ; n'achetez un outil qu'après avoir appris à vous en servir et seulement s'il vous est nécessaire. Et choisissez bien ! Un modèle peu onéreux mais de mauvaise qualité risque de se briser ou de se détériorer rapidement ; vous aurez alors à le remplacer sous peu.

Les outils électriques sont particulièrement séduisants car ils permettent de travailler rapidement ; mais si la menuiserie n'est pas votre gagne-pain, cet aspect des choses importe peu. Je ne m'en suis pas rendu compte à l'époque, mais j'ai eu la chance qu'une famille en pleine expansion et un compte en banque souvent dégarni m'empêchèrent d'acquérir d'emblée plusieurs outils électroportatifs.

Les outils manuels favorisent l'apprentissage et aident à mieux comprendre le bois, un matériau souvent contrariant. Les nœuds, fibres et autres éléments naturels se mettent souvent en travers des projets ; la seule réponse adéquate est alors basée sur l'expérience. Lire quelques lignes sur la direction des fibres est utile, mais rien ne vaut plusieurs heures de rabotage sur une planche pour comprendre réellement ce dont il s'agit. Travaillez dans le sens du fil et tout ira bien ; travaillez à contre-fil et l'outil commencera à louvoyer ou à plonger, éclatant ou fendant le bois au passage. Rien de cela ne vous sera connu si un outil électroportatif fait le travail à votre place.

Alan Peters, l'un des meilleurs ébénistes anglais contemporains, a fait ses classes dans l'atelier d'Edward Barnsley, maître incontesté qui a tout appris de son art bien avant la vogue des machines-outils. Au fil des ans, l'atelier Barnsley s'est peu à peu mécanisé. Au début, Peters avait du mal à comprendre l'aversion de Barnsley pour les machines, mais, petit à petit, il a constaté combien celles-ci ôtaient toute vie à une pièce d'ébénisterie. Les œuvres les plus réussies sont empreintes d'une spontanéité qui, selon Peters, “ traduit le contact constant, à toutes les phases du travail, du matériau avec l'outil et la main du travailleur ”.

Peters s'oppose à ceux qui prétendent que l'emploi exclusif des outils à main allonge exagérément le travail : “ On peut se demander pourquoi l'amateur et le professionnel en semi-retraite, pour qui la durée du travail n'a pas une importance vitale, devraient endurer les nuisances des défonceuses, rabots électriques, meules d'affûtage ou pistolets à peinture, alors que les mêmes tâches peuvent être effectuées à l'aide d'outils manuels, certes plus difficiles à utiliser, mais tellement plus reposants. ”

Ci contre : Les établis-étaux portables peu onéreux permettent le sciage et quelques autres opérations. Ce sont aussi des supports très pratiques pour des accessoires tels qu'une table de fraisage.

'atelier

a menuiserie n'est pas un travail ropre, et il est souvent impossible de erminer un projet en une seule jour-ée. Vos proches seront sans doute uelque peu contrariés si votre placard moitié assemblé masque la télévi-ion, ou si toutes les plantes vertes de a maison suffoquent sous une épaisse ouche de sciure de bois.

Mon premier lieu de travail était un rand placard. Le plus souvent, l'atelier ccupe un sous-sol, une chambre l'amis, un garage, parfois même un ppentis ou une construction annexe. ai même un jour observé un atelier nonté sur roulettes ; l'apprenti menui-ier sortait l'ensemble de son garage et availlait parfaitement à son aise sur allée d'accès.

Dans un premier temps, le choix des rojets à réaliser sera conditionné par la lace dont vous disposez. Mon atelier st organisé de façon très simple dans n garage pour une seule voiture. Je uspends mes outils aux murs ou les ose à plat sur de grandes étagères libres afin de les avoir toujours à portée de main. Certains préfèrent les ranger dans des placards. Si vous disposez déjà d'un atelier, vous êtes prêt à commencer ; dans le cas contraire, consacrez quelque temps à imaginer la meilleure façon de vous livrer à votre passe-temps favori. Il vous faudra, au minimum, un table ou un établi pour supporter la pièce travaillée, et un peu d'espace pour vous mouvoir autour. Si la place pour un établi fixe vous manque, orientez-vous vers un établi-étau portable, qui offre plusieurs possibilités de blocage des pièces travaillées. Sa hauteur convient au sciage et aux autres opérations manuelles. Il constitue également un support très pratique pour un accessoire tel qu'une table de fraisage. De plus, il peut être replié après usage, ce qui facilite grandement son rangement.

Ci-dessus : un rabot à main bien affûté suffit à aplanir et lisser un panneau de bois. La surface de belle apparence sera mise en valeur par un vernis clair.

ÉQUIPEMENT DE BASE

- Établi ou établi-étau portable
- Scies : scie à refendre, scie à tronçonner, scie à dos
- Équerre métallique droite à coulisse
- Mètre-ruban
- Compas de mesure à pointes sèches
- Maillet ou massette à embouts synthétiques
- Poinçon
- Clous de différentes tailles
- Limes, râpes, rabots
- Fausse équerre ou équerre à combinaison
- Crayons
- Trusquin de marquage et trusquin d'assemblage
- Couteau de traçage
- Divers ciseaux à bois : ciseaux droits, ciseaux de dressage, bédanes
- Outils d'affûtage : pierres, meules

3. PRINCIPAUX OUTILS ÉLECTROPORTATIFS

Comme vous l'imaginez, il y avait pe de place, dans mon premier atelie pour des machines-outils ; à cett époque, je faisais corroyer et tailler le pièces à dimension à la scierie ou j m'approvisionnais. Le bois ainsi préparé est généralement plus cher que l bois brut, mais il permet d'exécuter u projet en minimisant problèmes e nuisances.

Plus tard, j'ai suivi des cours d menuiserie pour adultes ; un soir pa semaine, je fréquentais l'atelier d'u lycée et en utilisais les différente machines. C'est là que j'ai constru mon premier établi, apprenant par l même occasion le maniement de principales machines-outils. Je m'arrangeais, quel que soit le projet e cours, pour raboter quelques planche supplémentaires afin d'avoir toujour du bois d'avance pour travailler à l maison.

La préparation du bois de débi peut également être effectuée à l'aid de rabots, scies et ciseaux. Avant l'avènement des outils électriques, c'éta d'ailleurs la seule option possible. Mai c'est un long travail, probablement tro pénible pour nombre d'entre nous refendre un madrier de 2,50 m à l'aid d'une scie à main est une tâche plutô ardue.

Ci-contre : Une perceuse électrique de moyenne puissance est un outil essentiel pour le travailleur du bois. Bien que les perceuses sans fil (en haut) soient plus légères, moins bruyantes et plus faciles à utiliser que les perceuses alimentées sur secteur (en bas), ces dernières gardent encore aujourd'hui la préférence du public.

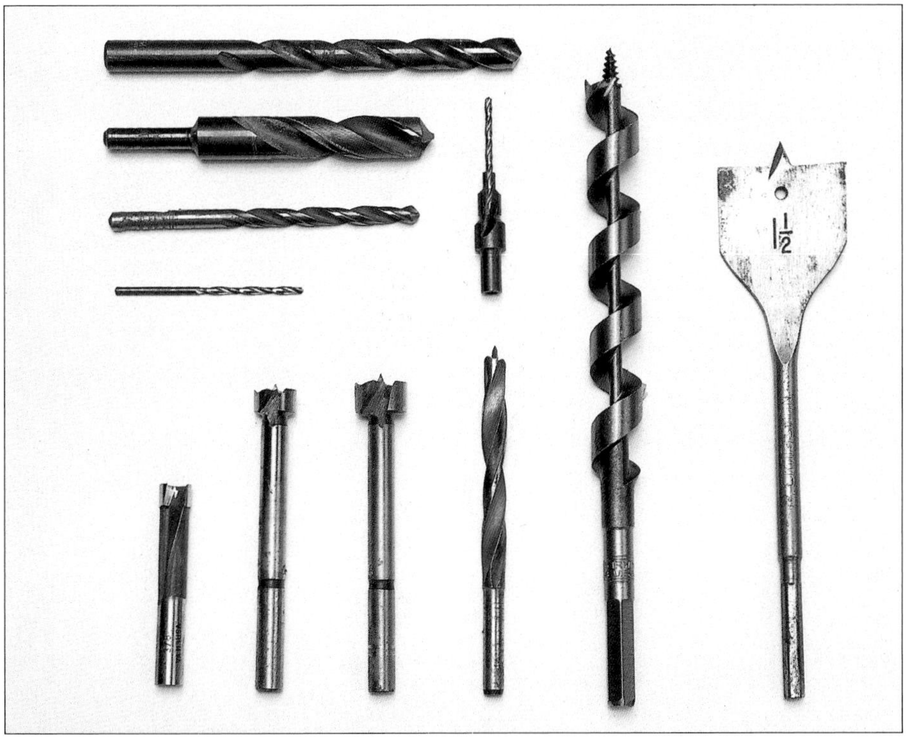

Le rabotage manuel d'une planche fraîchement sciée est un travail fatigant, mais la technique acquise s'avérera toujours utile ; à moins de posséder un outillage de type professionnel, vous aurez un jour à travailler de la sorte un plateau de table ou une surface similaire.

Si vos finances vous l'autorisent, investissez dans quelques outils électroportatifs, à commencer par une **perceuse** ; les modèles à variateur électronique offrent une grande souplesse d'utilisation. Vous pourrez, par exemple, amorcer un perçage à faible vitesse pour une meilleure précision, puis augmenter la vitesse de rotation de la mèche en fonction du matériau travaillé.

Les mèches pour métaux présentées en haut à gauche de l'illustration conviennent également au façonnage de trous de faible diamètre dans le bois. Les mèches anglaises (ou plates), telle celle de 38 mm présentée à l'extrême droite, sont conçues pour le perçage dans le bois de trous de gros diamètre. À gauche de celle-ci figure une mèche-torse à pointe filetée, destinée au même usage, puis une mèche à téton, dont la pointe centrale permet un amorçage précis du trou sans risque de dérapage de l'outil. La mèche présentée au dessus de celle-ci façonne en une seule opération l'avant-trou et le logement pour une vis à bois à tête fraisée ; ainsi la vis peut être noyée sous le nu de la pièce travaillée. Les trois mèches situées en bas à gauche sont des mèches Forstner, destinées au perçage de trous à fond plat. Ces mèches sont dépourvues de pointe de guidage filetée, c'est pourquoi il est souvent préférable de les utiliser avec une perceuse en poste fixe.

Les mèches à bois sont généralement disponibles en acier rapide (HSS) ou en carbure de tungstène. Ces dernières sont plus résistantes, particulièrement si l'on travaille le contreplaqué ou l'aggloméré.

Capable d'effectuer une grande variété de tâches, la **défonceuse** est une véritable bénédiction pour le travailleur du bois doté d'un atelier exigu. Cet outil quelque peu bruyant doit être manié avec prudence, mais il offre une souplesse d'utilisation incomparable. Il y a plusieurs années, un de mes amis m'affirma qu'une défonceuse améliorerait de façon spectaculaire mon travail. Je refusai alors de le croire, mais après avoir constaté avec quelles rapidité et précision cet outil façonnait les chants d'une table, je dus admettre qu'il avait raison.

Associée à un jeu de fraises adéquat, une simple défonceuse portative fera à elle seule le travail de plusieurs rabots spécialisés destinés à la réalisation d'assemblages et au moulurage des pièces de bois.

Ci-dessus : Associée aux mèches modernes, la perceuse électrique est un outil robuste et polyvalent, présent dans tous les ateliers. Les quatre mèches en haut à gauche sont des mèches hélicoïdales universelles. En bas, de gauche à droite, figurent trois mèches Forstner, une mèche à téton, une mèche-torse à pointe filetée et une mèche anglaise de 38 mm.

En dépit de sa polyvalence, la défonceuse ne constitue pas non plus la panacée universelle. Sa puissance et la vitesse de rotation élevée de la fraise en font un instrument parfois difficile à contrôler. Avant d'utiliser un tel outil, consultez le livret d'instructions et renseignez-vous sur le type de fraise à employer.

Il y a quelques temps, ma belle-sœur se fit prêter une défonceuse avec l'idée d'arrondir les chants d'une charmante table basse qu'elle venait d'acheter. Elle transforma, bien sûr, chacun des bords de l'objet en une succession de creux et de bosses. Ce n'est que plus tard qu'elle découvrit l'existence d'accessoires pour guider l'outil et de fraises à pilote spécialement conçues pour ce genre de tâche. À l'instar de la plupart des outils électriques de grande puissance, la défonceuse est peu adaptée au travail à main levée.

Le ponçage est une tâche indispensable, mais travailler un grand panneau de bois au seul moyen d'une feuille de papier de verre et d'une cale à poncer peut décourager le plus motivé. À cet égard, les ponceuses vibrantes, à patin demi ou quart de feuille sont irremplaçables. Faciles à utiliser et relativement silencieuses, elles peuvent, de plus, être équipées d'un sac pour collecter la sciure abondante qu'un tel travail ne manque jamais de produire.

Les modèles les plus récents acceptent des feuilles abrasives adhésives ou à revêtement Velcro. Ces feuilles, facilement et solidement fixées sur le plateau de ponçage, offrent un bien meilleur rendement qu'une feuille abrasive libre attachée au moyen de simples clips.

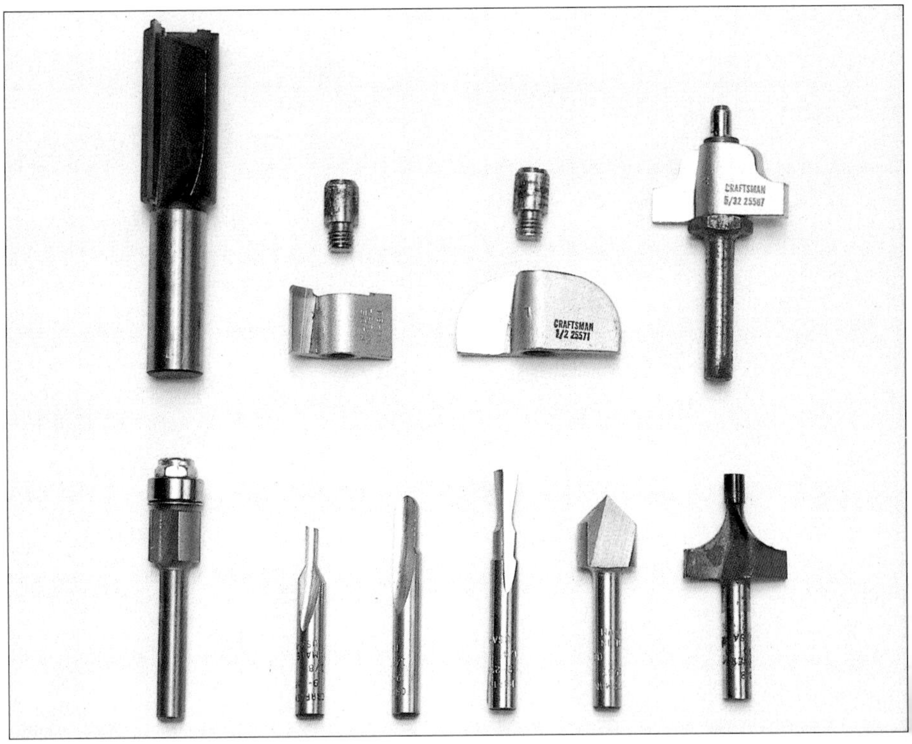

Rangée supérieure, de gauche à droite : fraise droite au carbure de tungstène de 13 mm de diamètre et trois fraises en acier rapide (HSS) à pilote, destinées respectivement au façonnage de feuillures, gorges et profils. Ces fraises sont montées sur une queue métallique ; il est possible de faire varier la profondeur de coupe en changeant le tenon-guide.

Rangée inférieure, de gauche à droite : fraise à affleurer droite, dotée d'un guide à bille de même diamètre que celui de la fraise. (Cet accessoire est particulièrement pratique pour l'affleurage des chants des pièces plaquées ou mélaminées.) Les quatre fraises suivantes sont des fraises à rainer de différents profils. Le dernier accessoire est une fraise quart-de-rond à tenon-guide solidaire.

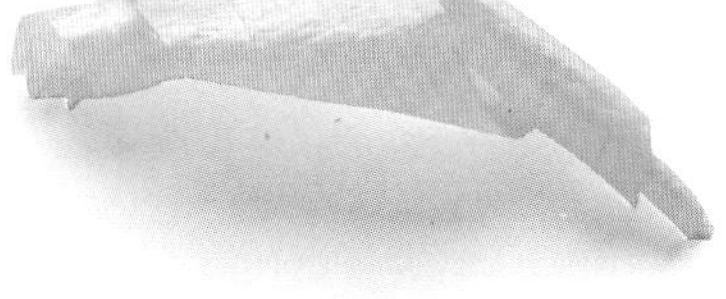

Page ci-contre : Grâce à un simple guide de coupe parallèle, la défonceuse façonne une mortaise avec plus de rapidité et de précision que n'importe quel outil à main.

HITAC
1/2" ELECTRIC ROUTER TYPE TR
Hitachi Koki Co. Ltd.
CAUTION

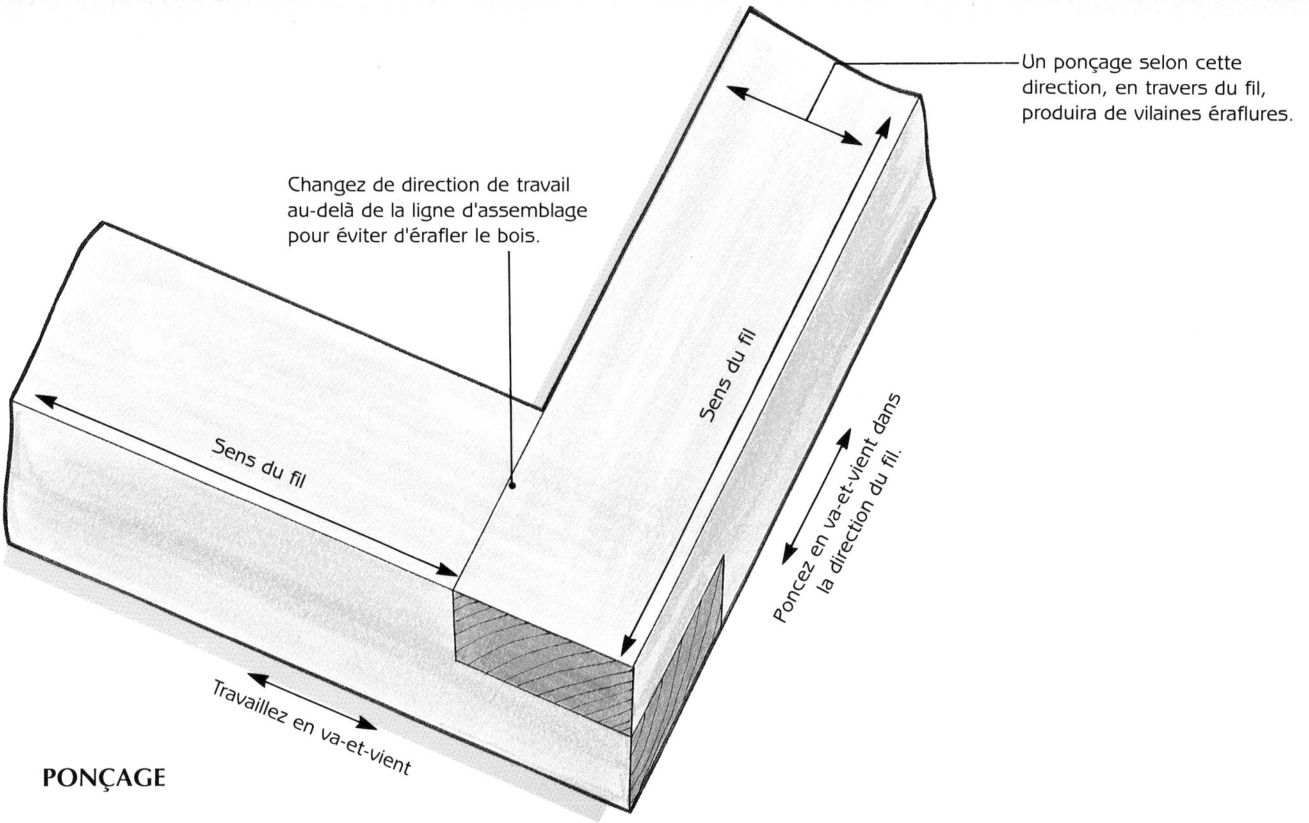

Un ponçage selon cette direction, en travers du fil, produira de vilaines éraflures.
Changez de direction de travail au-delà de la ligne d'assemblage pour éviter d'érafler le bois.
Sens du fil
Sens du fil
Poncez en va-et-vient dans la direction du fil.
Travaillez en va-et-vient

PONÇAGE

Ci-contre : Rares sont les menuisiers qui apprécient les opérations de ponçage ; l'utilisation d'une ponceuse vibrante, maniable et puissante, rend cette tâche beaucoup moins pénible.

FINITION
À LA PONCEUSE À BANDE

- Les ponceuses à bande sont si efficaces que certains les assimilent à des rabots. Elles sont très utiles lorsque le travail de ponçage est important, particulièrement s'il concerne une large surface, tel le plateau d'une table. Attention cependant, car ces outils sont parfois difficiles à contrôler.

- Ces ponceuses électroportatives sont équipées d'une bande abrasive large de 75 à 100 mm et longue de 460 à 600 mm. La bande est portée par deux rouleaux, dont un actionné par le moteur électrique. L'autre, libre, peut être ajusté pour régler la tension de la bande. Les deux rouleaux sont séparés par une semelle métallique qui plaque la bande abrasive sur la surface travaillée.

- Du fait de la vitesse de rotation élevée, abstenez-vous d'immobiliser l'outil tant que la bande est encore en mouvement ; vous risqueriez de creuser exagérément la surface du bois. Attention également lorsque vous poncez une surface plaquée : une seconde d'inattention suffit pour traverser la fine couche de placage. Le risque est encore accru sur les angles et les bords de la pièce travaillée.

- Comme vous le feriez pour tout autre ponçage mécanique ou manuel, prenez soin de travailler toujours dans le sens du fil, tel qu'indiqué sur le croquis.

- Enfin, commencez à poncer à l'aide d'un papier fortement abrasif, puis réduisez progressivement la densité du grain.

PAPIERS ABRASIFS : LE LANGAGE DES GRAINS

- Le papier abrasif existe en une grande variété de grains, de 40 pour le papier grossier à 1 200 pour les papiers de lissage utilisés en carrosserie automobile. Un chiffre peu élevé indique un papier fortement abrasif ; ainsi, une feuille de grain 40 est si rugueuse au toucher qu'elle fait l'effet de minuscules galets.

- Si vous prenez les précautions nécessaires lors des phases de construction, un papier abrasif de grain 100 doit suffire pour débuter le ponçage. Lorsque cela vous est possible, effectuez celui-ci avant l'assemblage final ; le ponçage des différentes pièces sera plus facile si vous pouvez les disposer tout à tour sur votre établi.

- Dès que le résultat obtenu avec le papier de grain 100 vous semble satisfaisant, passez au papier de grain 120, puis 150, puis 180 et enfin 220. Chaque feuille utilisée élimine les traces laissées par la feuille précédente. Il vous sera facile de repérer ses éraflures si vous observez la surface en lumière rasante. Au besoin, aidez-vous d'une lampe orientée selon la même direction.

- Il faut généralement poncer la pièce travaillée au papier de grain 220 avant d'appliquer un produit de finition. Sous une couche de vernis ou de cire, les éraflures laissées par un papier de grain plus grossier sembleront de véritables crevasses.

- Vous serez parfois tenté de sauter les étapes et d'utiliser directement le papier le plus fin ; j'ai découvert que ce choix rend le travail à la fois plus long et plus fatigant.

1 Papier abrasif souple

2 Papier imperméable

3 Papier abrasif anti-encrassement à grain carbure de silicium

4 Papier de verre

5 Papier corindon fin

6 Papier corindon grossier

7 Papier abrasif grossier à grain d'oxyde d'alumine

4. MACHINES-OUTILS

ous n'avons pas encore parlé des achines-outils, fierté de nombre 'amateurs et outils essentiels des pro- essionnels soucieux de rendement. Si ous avez eu l'occasion de pénétrer ans l'atelier d'un menuisier, vous y vez sûrement observé une scie circu- aire sur table et une scie à bande pour ébiter le bois, une raboteuse pour resser et tailler les planches à la onne épaisseur, une dégauchisseuse, ssurant un parfait équerrage des hants, ainsi que différents outils de onçage, capables de réduire le bois n poussière en quelques secondes.

Ces machines à la fois précises et ouples d'utilisation offrent de mul- ples avantages. Elles rendent certaines âches moins fastidieuses et permettent de réaliser toutes sortes de projets de façon rapide et efficace. En revanche, elles sont onéreuses, nécessitent des réglages et un entretien constants et peuvent s'avérer dangereuses. De plus, elles sont bruyantes et produisent un volume de sciure important.

Si vous avez accès à l'une de ces machines, apprenez avant toute chose à bien l'utiliser. Suivez une formation ou, à défaut, faites-vous conseiller par un professionnel. Les fabricants publient généralement des manuels ou des vidéocassettes qui vous permettront de vous familiariser avec l'appareil. Soyez toujours d'une extrême prudence et respectez scrupuleusement toutes les consignes de sécurité ; comme le dit si bien un de mes amis : " Avant de mettre en marche la machine, mettez en marche votre concentration ".

Préalablement à l'achat d'une machine-outil, informez-vous auprès de plusieurs artisans confirmés. Assurez-vous que l'appareil qui vous tente convient à vos travaux habituels et à la dimension de votre atelier. Choisissez une machine que vous pourrez garder longtemps mais évitez de choisir un modèle d'une trop grande puissance, qu'il vous serait difficile de manier en toute sécurité.

Quelle machine-outil convient-il d'acquérir en premier ? Les travailleurs du bois s'accordent rarement sur ce sujet. Certains recommandent l'achat d'une **scie radiale**, arguant de sa grande polyvalence. En plus de tronçonner de manière propre et précise les planches à longueur, elle peut être utilisée, moyennant quelques accessoires, pour le façonnage et le moulurage. Pour ma part, je pense qu'une scie radiale convient mal à la refente de pièces de bois.

D'autres artisans vous conseilleront plutôt l'achat d'une **scie circulaire sur table**, parce qu'elle convient parfaitement à la taille d'éléments à largeur et à la réalisation d'assemblages. Certains pensent que scies radiales et scies sur table sont des machines trop dangereuses et leur préfèrent la **scie à ruban**. Associée à plusieurs lames de diverses largeurs, une scie à ruban de grande dimension est un instrument idéal pour le tronçonnage, la refente et les découpes d'assemblage. De plus, elle convient parfaitement au façonnage de formes courbes ou irrégulières.

Ci-contre : Façonnage, rainurage, découpe d'onglets ou travaux d'assemblage ; dans un petit atelier, la scie sur table se trouve souvent au centre de l'activité.

SÉCURITÉ

PROTECTEURS ET ACCESSOIRES DE SÉCURITÉ

- Il y a encore peu, nombre de menuisiers portaient les blessures infligées par leurs machines comme autant de signes d'appartenance à leur confrérie. Aujourd'hui, le travail de longue haleine des pouvoirs publics, des fabricants et de diverses associations a permis de réduire grandement ces accidents.
- La plupart des outils électriques modernes, fixes ou portatifs, sont équipés d'accessoires aidant à la protection de l'opérateur. Ne les négligez pas : utilisez-les aussi souvent que possible (nombre des outils électriques illustrés dans cet ouvrage ont été débarrassés des accessoires de protection pour des besoins de présentation. Évitez de faire de même !). Si l'un des protecteurs vous semble difficile à mettre en place, gardez-vous de l'éliminer : téléphonez au fabricant afin d'obtenir les explications nécessaires. Vous avez sans doute mal installé l'accessoire, ou bien celui-ci est peut-être défectueux.
- Si, malgré tout, le dispositif ne vous donne pas satisfaction, essayez de trouver ce qui vous convient parmi les accessoires d'appoint disponibles dans le commerce. Au besoin, faites en sorte de les observer en démonstration chez un fabricant.
- Encore une fois, ne travaillez pas sans capots de protection. Ces accessoires ne remplaceront jamais prudence ou bon sens, mais ils peuvent vous épargner bien des déboires. Une des lois fondamentales du travail du bois est que personne n'est jamais à l'abri d'un accident.

L'outil principal de mon atelier est une scie circulaire sur table, que j'utilise de façon intensive pour tronçonner, refendre et réaliser les travaux d'assemblage. Pour certaines découpes un peu délicates, je lui substitue une défonceuse électroportative et divers outils à main. Quelques techniques de base relatives à l'emploi d'une scie sur table et d'une dégauchisseuse sont décrites plus avant dans cet ouvrage.

L'acquisition d'une **dégauchisseuse** pourra sembler un luxe à certains, mais c'est une machine d'une grande utilité. Comme nous le verrons plus loin, il est toujours nécessaire, pour marquer des assemblages, de partir d'une surface parfaitement plane et perpendiculaire aux faces adjacentes. La dégauchisseuse est conçue pour cela. Elle est constituée de deux plateaux pouvant être actionnés verticalement l'un par rapport à l'autre pour ajuster la hauteur de coupe. Un robuste guide latéral associé à la machine permet de faire coulisser une planche sur les plateaux et au dessus de fers portés par un arbre rotatif ; on obtient ainsi une face plane et d'un équerrage parfait par rapport au chant accolé au guide. Il est possible d'obtenir le même résultat à l'aide de rabots à main, mais au prix d'un travail plus long et plus difficile. Vous pourrez reproduire l'action d'une dégauchisseuse en adaptant divers accessoires sur votre scie circulaire sur table ou votre scie radiale, mais vous n'égalerez pas sa rapidité.

Aujourd'hui, la scie sur table est dans doute la machine-outil que j'utilise le plus fréquemment, suivie de près par la scie à bande. La plupart du temps, je me sers de ces deux machines pour préparer et dresser les pièces de bois, puis j'exécute les découpes d'assemblage à l'aide d'outils à main et d'une défonceuse portative.

Ci-contre : Nombre de travailleurs du bois privilégient la scie à bande, un outil moins dangereux que les autres machines-outils. La lame attaque le bois du haut vers le bas, facilitant ainsi le contrôle de la pièce travaillée.

5. LE BOIS

Au sortir de la scierie, les pièces de bois sont souvent si inégales et poussiéreuses qu'il est impossible à la plupart d'entre nous d'en deviner la couleur ou, encore moins, l'essence. Ce grain superbe, que vous pouvez observez sur les meubles en exposition, est bien présent, mais il est caché par les fibres déchirées, les traces de sciage et la saleté. De plus, la plupart des planches sont gauchies ou incurvées car elles subissent des déformations durant le séchage qui suit leur découpe.

Le bois, ne l'oublions pas, est une matière vivante. À l'abattage de l'arbre, les cellules contiennent une importante proportion d'humidité. L'arbre est virtuellement mort, mais le bois ne reste pas inerte. Il se gonfle, se contracte ou se tord au rythme des variations de l'hygrométrie ambiante.

Dès que l'arbre est à terre, la sève et l'eau contenues dans les parois cellulaires commencent à s'évaporer. Cette perte d'humidité, surtout si elle s'opère rapidement, inflige d'importantes contraintes au bois, créant déformations et fissures. Les départs de branches et les agressions subies par l'arbre au cours de sa vie sont des défauts supplémentaires qui accroissent la difficulté, mais aussi l'intérêt, du travail du bois.

Quel que soit son âge, et même un fois façonné et converti en meuble, le bois ne sèche jamais complètement.

Ci-dessus, en haut à gauche : frêne (bois de souche) ; en haut à droite : frêne du Japon (dessin ogival) ; au centre à gauche : sycomore (fil ondé) ; au centre à droite : bouleau (taches fongiques) ; en bas à gauche : marronnier du Japon (fil en damier) ; en bas à droite : zébrano (stries noires).

Les déformations du bois

En hiver, lorsque le chauffage central assèche l'atmosphère des habitations, l'humidité quitte le bois et se diffuse dans la pièce. Par temps humide, au contraire, le bois absorbe l'humidité de l'air ambiant. Ces variations suffisent à modifier les dimensions d'une planche ; le bois gonfle lorsqu'il absorbe l'humidité et se rétracte lorsque celle-ci s'évapore.

Ces déformations seraient déjà gênantes si elles se produisaient dans toutes les directions, mais ce n'est pas le cas. Une pièce de bois joue essentiellement dans sa largeur et peu dans sa longueur. Les cellules du bois forment de longs canaux tubulaires qui courent verticalement sur toute la hauteur de l'arbre. Lorsque ces cellules gonflent, elles grossissent mais ne s'allongent pas, de la même manière d'un adulte suralimenté prend de l'embonpoint mais ne gagne pas en taille.

L'irrégularité des déformations constitue un véritable casse-tête pour les menuisiers lorsqu'ils assemblent des pièces de bois. Lorsque l'on fixe une planche à fil en long en travers du fil d'une autre planche, on réduit le mouvement du bois aussi sûrement qu'avec une barre d'acier. Si les déformations dues aux variations de l'humidité ambiante sont entravées par un élément transversal, le bois se fissure ou se tord avec assez de force pour disjoindre l'angle d'un bâti de porte ou fendre le plateau d'une table.

Ces problèmes seront réduits si vous évitez de construire à fil croisé et si vous travaillez avec du bois préséché. Aujourd'hui, amener le bois au seuil d'humidité souhaité est une science relativement exacte. Les ébénistes préfèrent généralement travailler avec un bois au taux d'humidité compris entre 8 et 12 %. Renseignez-vous auprès d'un marchand de bois pour connaître le taux souhaitable dans votre région. Nombre d'artisans entreposent leur bois plusieurs semaines dans leur atelier avant de l'utiliser, afin qu'il s'ajuste à ce nouvel environnement ; de plus, la plupart prennent soin de concevoir leurs assemblages en tenant compte des futures contraintes. L'application d'un produit de finition sur une pièce de bois ralentit quelque peu les transferts d'humidité, sans pourtant les stopper complètement. Pour éviter tout problème, il est préférable de traiter les deux faces de chaque élément. L'intérieur d'un meuble à tiroirs constitue, en la matière, l'exception ; les variations de température y sont en général trop faibles pour causer de réels problèmes. Pour plus de sûreté, les menuisiers ont coutume de monter les tiroirs en laissant un peu de jeu. Je ménage, pour ma part, un interstice de 2 mm autour d'un tiroir en période humide, et de 3 mm en période sèche, afin d'accommoder les inévitables déformations.

Choisir le bon bois

Les arbres de notre planète fournissent des bois d'une incroyable variété de teintes, de textures et de motifs. Fort heureusement, la plupart des essences propices à la construction de meubles sont relativement courantes et peu onéreuses.

Ci-dessus :
Ce coffre à linge présente le grain curviligne typique de l'orme.

Cependant, avant de vous précipiter chez le détaillant local, il est nécessaire de vous familiariser avec quelques termes usuels. **Bois tendres**, produits majoritairement par les conifères, et **bois durs**, produits par les feuillus, comptent parmi les dénominations que vous ne manquerez pas de rencontrer.

Pour les projets de cet ouvrage, j'ai utilisé à la fois des essences tendres, tel le pin, et des essences dures, tels le chêne et le noyer cendré. En dépit de cette terminologie, certains bois tendres sont plus durs que certains bois durs et certains bois durs plus tendres que certains bois tendres ! Ainsi, le peuplier, bois dur, est généralement plus tendre que le pin, qui est un bois tendre.

On trouve également facilement aujourd'hui du bois de débit séché à l'air ou étuvé. Le séchage à l'air consiste à entreposer le bois en piles dans un endroit clos en ménageant une lame d'air entre chaque strate au moyen de petites cales de bois. Après plusieurs mois de séchage, voire plusieurs années, le taux d'humidité du bois s'équilibre avec le taux ambiant. Le bois étuvé est placé dans un vaste four où son taux d'humidité est réduit à 8 à 10 %.

Quel que soit le procédé employé, le bois continuera à se modifier en fonction de l'air ambiant ; c'est pourquoi je vous conseille de stocker le bois plusieurs semaines ou plusieurs mois dans votre atelier avant de l'utiliser.

Le bois est généralement vendu brut ou dressé sur deux ou quatre faces. En France, les bois durs sont le plus souvent commercialisés en sciages sur plots de dimensions variables. Le bois dressé et prédimensionné est plus onéreux que le bois brut, en raison du temps nécessaire à sa préparation.

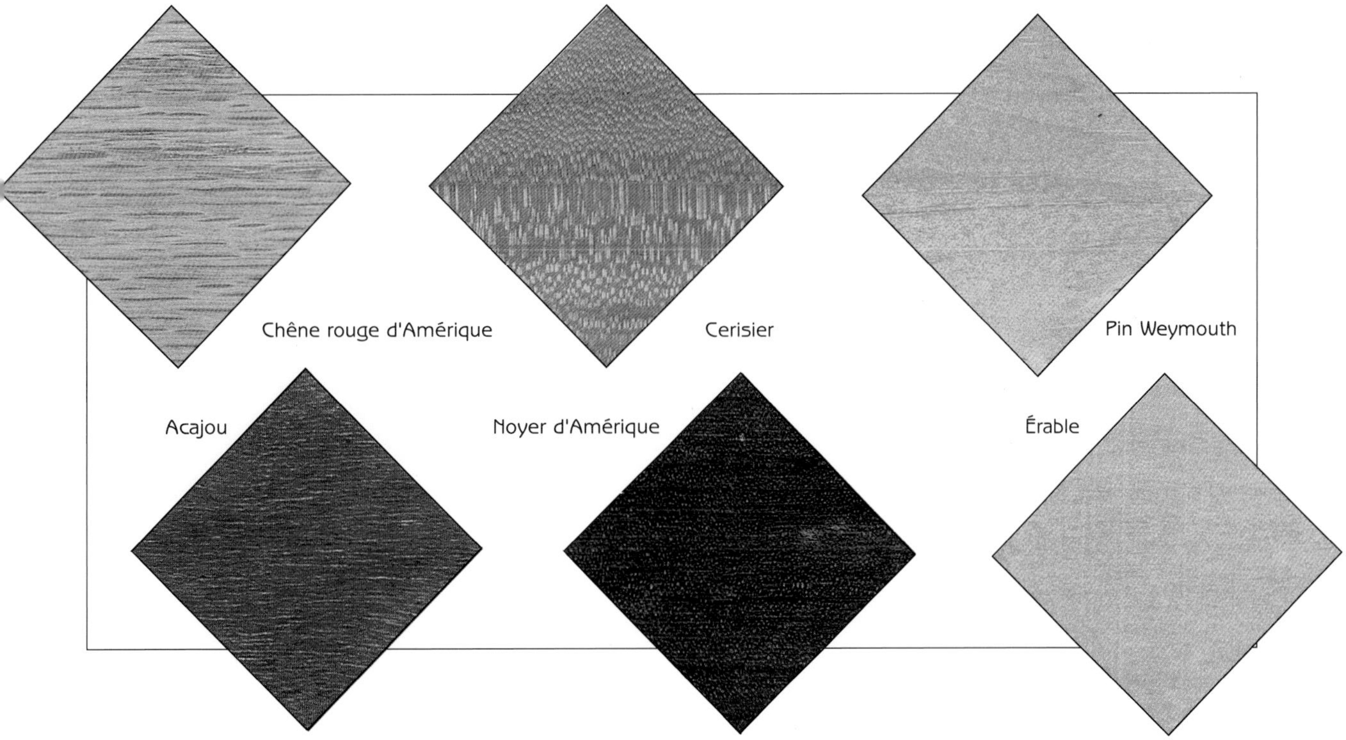

Le bois est également classé selon a qualité, qui s'échelonne de " ébénis- erie " pour les plus belles pièces à charpente et coffrage " pour celles de nédiocre apparence. Les pièces lépourvues de défauts sont bien sûr les lus onéreuses. Les qualités inférieures ont souvent d'un prix très attractif, nais la proportion de rebut liée aux œuds, taches et fentes est générale- nent importante.

Pour calculer la quantité de bois écessaire à la réalisation d'un projet, ous devez savoir que les dimensions ndiquées d'une pièce de bois rabotée ur deux ou quatre faces sont souvent elles de la planche avant dressage ; lles sont en général supérieures de cm en longueur et en largeur à celles le la pièce finie. Prévoyez également de gonfler votre estimation du bois nécessaire d'environ 20 à 25 % pour compenser défauts, traits de scie et inévitables imprévus.

Le choix du bois dépend à la fois de vos goûts personnels et du type de travail envisagé. Les bois tendres, tels que le pin, sont le plus souvent utilisés dans la construction, mais certaines essences de pin donnent naissance à de superbes meubles. Le bois de cœur du **pin blanc**, d'une belle teinte brune qui se mâtine avec l'âge, se façonne aussi bien à la main qu'à la machine. L'**acajou** est un merveilleux bois d'ameublement, facile à travailler et aisément mis en valeur. Le bois de cœur de **merisier**, mon préféré, oscille du brun clair au brun rougeâtre, teintes qui s'intensifient en vieillissant. Son riche veinage se prête bien à toutes les finitions. Le **noyer d'Amérique** donne un bois d'une belle texture, facile à travailler et à mettre en valeur. Le cœur est d'une teinte brun clair à brun foncé. Son aubier est presque blanc. Très solide, le **chêne** est aujourd'hui largement employé dans la création de meubles modernes. L'**érable** doit à sa dureté et à sa couleur claire d'être couramment utilisé dans la confection de meubles ainsi que dans celle d'ustensiles de cuisine, tels que saladiers ou planches à découper. Le bois d'érable moucheté d'Amérique, au veinage superbe, présente souvent un fil ondé en " dos de violon " et de petites taches circulaires appelées yeux d'oiseaux ; il est cependant difficile à travailler.

Le contreplaqué

Ce matériau peut se révéler aussi bien une bénédiction qu'une calamité. Il semble être un choix logique lorsque l'on a besoin d'une surface plane de grande dimension, mais quelques précautions seront nécessaires pour en tirer le meilleur parti.

Son maniement dans l'atelier n'est pas des plus simples : une planche de contreplaqué de 250 x 120 cm pèse un poids conséquent et peut s'avérer difficile à découper sur une scie sur table de dimension standard. Il est toujours préférable de se faire aider lorsque l'on travaille ce matériau.

Composé d'un laminage de colle et de fines plaques de bois appelées plis, le contreplaqué existe en différentes qualités. Les contreplaqués haut de gamme présentent un plus grand nombre de plis, souvent d'un bois de bonne qualité, et sont plus denses que les contreplaqués ordinaires.

Certains contreplaqués, habillés de placage sur leurs deux faces, n'ont rien à envier en apparence aux plus belles pièces de bois massif. Érable, cerisier, noyer et autres essences " nobles " comptent parmi les choix possibles. Nombre de bois exotiques ne sont commercialisés que sous forme de placage, qu'il est ensuite aisé d'accoler sur un panneau de contreplaqué, d'aggloméré ou de fibres moyenne densité ; l'effet obtenu est souvent superbe.

Le premier avantage du contreplaqué et des autres panneaux manufacturés est leur stabilité dimensionnelle. À la différence d'une pièce de bois massif, le contreplaqué ne se gonfle ni se rétracte ; on peut ainsi l'utiliser pour couvrir de grandes surfaces. Il est par contre sujet au gauchissement et au tuilage ; c'est pourquoi il est toujours préférable d'encadrer un panneau de contreplaqué de grande dimension. Cet encadrement peut être formé par des lattes de parement, fines lamelles de bois dur qui masquent l'assemblage des plis visible sur les quatre chants, que beaucoup jugent peu esthétique.

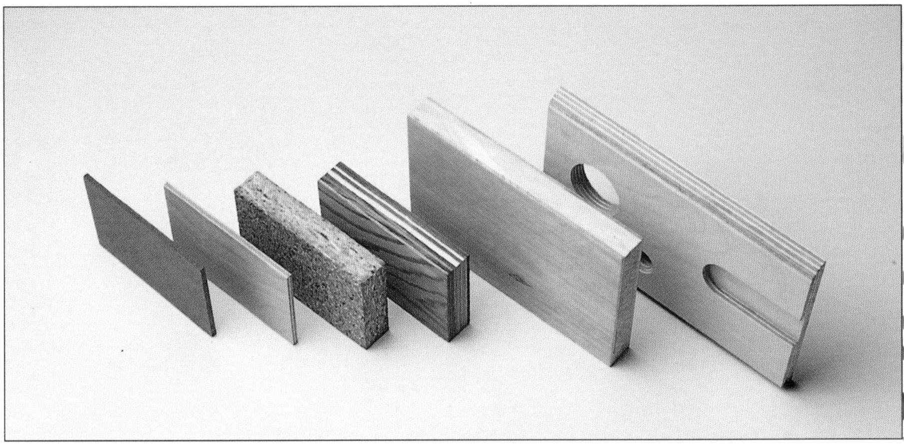

Ci-dessus : Contreplaqués d'épaisseurs et de qualités diverses, dont un contreplaqué trois plis et un contreplaqué replaqué à usage décoratif.

Les outils à main et électriques employés pour le travail du bois massif conviennent également à celui du contreplaqué ; cependant, à cause des fines lignes de colle séparant les plis, ce dernier émousse plus rapidement les tranchants des fers, fraises et lames. Ainsi, si vous dressez le chant d'un panneau de contreplaqué à l'aide d'une dégauchisseuse sans prendre les précautions d'usage, vous risquez d'endommager la surface travaillée et les fers de votre outil au point de nécessiter leur réaffûtage.

Le contreplaqué se prête moins bien que le bois massif à la plupart des assemblages habituellement pratiqués. Assemblages d'onglet à fausse languette, assemblages à lamelles et assemblages à tourillons sont les plus recommandés.

Les fines lattes de placage sont plus sujettes à l'éclatement que le bois massif. Lors du sciage d'un panneau plaqué, présentez toujours la pièce face plaquée orientée vers les dents de la scie ou de la machine ; le placage sera ainsi attaqué alors qu'il est encore supporté par l'épaisseur du panneau et subira moins de dommages. Certains artisans couvrent de ruban de masquage l'emprise du trait de scie pour renforcer les fibres. Assurez-vous également que la lumière de la scie est bien alignée avec la lame afin de minimiser les déchirements.

Nombre des produits de finition utilisés sur le bois massif conviennent également au contreplaqué. Durant la préparation des surfaces, gardez à l'esprit que les plis formant le panneau sont de faible épaisseur. Un ponçage un peu agressif de la surface, en particulier près des bords, peut créer de vilaines marques qu'il vous sera pratiquement impossible de dissimuler. Comme pour une pièce de bois massif, passez le produit de finition sur les deux faces du panneau afin de protéger celui-ci de l'humidité et de la saleté.

6. CONCEPTION : QUELQUES PRINCIPES DE BASE

est bien sûr tout à fait inhabituel de açonner un meuble à partir d'une nique et massive pièce de bois. culpter une chaise dans un tronc l'arbre serait un travail terriblement ifficile qui, de plus, produirait un olume excessif de bois de rebut. En utre, une pièce de bois d'une telle imension subirait des déformations nportantes, causant la faiblesse de ertaines parties du meuble.

Souvenez-vous que les cellules du ois sont disposées verticalement sur oute la hauteur du tronc. Intactes, ces ibres confèrent au bois une grande olidité ; découpées en fines bandes ansversales, elles perdent toute robus-esse. Ainsi, une fine lamelle de bois lécoupée en travers du fil casse omme une allumette ; découpée dans e sens du fil, la même lamelle tolère ne déformation importante.

Les ébénistes contournent ce pro-lème en assemblant des pièces de etite taille. Les techniques qui consis-ent à réunir ces pièces les unes aux utres d'une manière à la fois solide, onctionnelle et attractive sont appe-ées assemblages. Vous aurez l'occa-ion de découvrir certains d'entre eux n peu plus loin dans cet ouvrage.

La conception de meubles dépasse ien sûr le domaine des assemblages. " Il faut concevoir un meuble avec 'idée qu'il soit facilement utilisable, gréable à l'œil, et qu'il puisse suppor-er un usage intensif ", observe David ield, membre du Royal College of Art le Londres. Il identifie trois critères de conception : usage, simplicité et esthé-ique. Parfois très subtil, l'équilibre ntre ces trois composantes est la plu-art du temps lié aux goûts personnels le l'artisan.

La plupart des travailleurs du bois ont incapables de concevoir un meu-ble ; nombre d'entre eux ne travaillent qu'à partir de plans dessinés par d'autres. Cela n'a rien d'infâmant, bien sûr, et ce type de travail peut même représenter un véritable défi, particu-lièrement lorsqu'il s'agit de reproduire un meuble de collection. Certaines de ces pièces révèlent un savoir-faire et un soin du détail admirables.

Ci-dessus : En raison de la disposition tubulaire des cellules sur la hauteur du tronc, une petite latte découpée dans le sens du fil (en haut) se révèle à la fois solide et flexible ; la même latte découpée en travers du fil (en bas) se brise à la moindre torsion.

QU'EST-CE QUE L'ORIGINALITÉ ?

On dit que l'imitation est une forme suprême d'hommage, mais quand elle concerne objets ou meubles, certains parlent de plagiat, particulièrement si elle est effectuée à des fins commerciales.

D'autres rétorquent qu'il n'y a jamais rien de nouveau sous le soleil, et que l'auteur du meuble pris comme modèle s'était lui aussi probablement inspiré d'un objet existant. Je dois admettre qu'au début de mon activité, mon désir de maîtriser rapidement toutes les techniques du travail du bois m'a poussé à reproduire sans aucun scrupule tous les objets intéressants que mes compétences me permettaient de reproduire.

Nombre d'ébénistes de mes amis ne trouveront rien à redire si quelqu'un reproduit une de leurs créations pour son usage personnel. Certains d'entre eux publient même des plans dans divers ouvrages et périodiques, avec la satisfaction de savoir qu'ils seront exploités par leurs lecteurs. Aucun, cependant, ne verrait d'un bon œil qu'une copie non autorisée d'un de leurs meubles soit vendue à la chaîne chez les grands détaillants.

Profitez des conseils des professionnels, qu'ils soient prodigués au cours d'un stage ou de cours du soir, ou même dans un magazine, mais efforcez-vous toujours, par respect pour leur travail, de dépasser ce qu'ils vous enseignent. Réinterprétez leurs idées, modifiez leurs propositions pour satisfaire votre propre sens de l'équilibre et de l'esthétique. Testez plusieurs essences et plusieurs types d'assemblage. Faites en sorte que chacune de vos réalisations reflète votre personnalité.

Dessinez toujours vos projets avant de passer à la construction. J'utilise souvent, à cet effet, une feuille de papier millimétré, dont le quadrillage m'aide à juger des proportions des différents composants. Pour plus de sûreté, efforcez-vous de dessinez une pièce compliquée en vraie grandeur. Ce stade du travail vous semblera peut être une perte de temps, mais il facilitera grandement la réalisation. C'est d'ailleurs de cette manière que procèdent la plupart des professionnels. Certains vont même plus loin : se servant de chutes, ils construisent une ébauche à taille réelle de leur projet pour en tester les proportions.

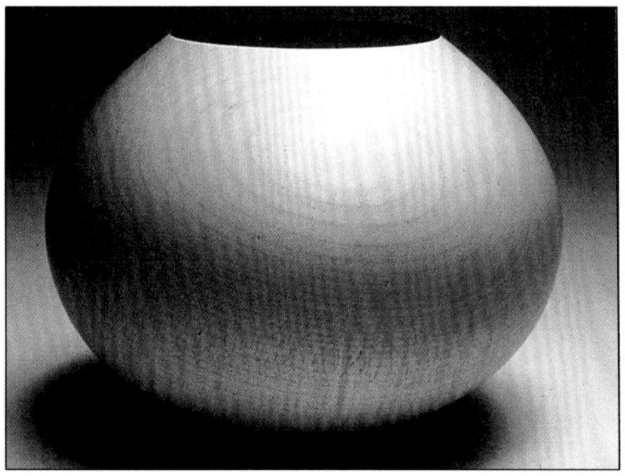

Reproduire les moulures, les assemblages et la finition de ces chefs-d'œuvre peut constituer une difficile et passionnante part de votre apprentissage. Il est cependant possible qu'imiter le travail d'autrui vous soit rébarbatif ou que certains éléments du meuble détaillés sur le plan vous déplaisent. Peut-être préféreriez-vous des pieds coniques à la place de pieds tournés ? Ou bien trois petits tiroirs plutôt qu'un grand sur la face frontale d'un bureau ? Que faire si les objets collectionnés par votre épouse ne s'accordent avec aucun des ensembles d'étagères proposés sur le marché ?

Prenez un crayon, une feuille de papier, une règle, une calculatrice et donnez libre cours à vos idées. Commencez par adapter une photo d'un meuble que vous appréciez. Pour ma part, j'ai toujours une petite planche à dessin sur mon établi ; c'est une part rituelle de mon travail à l'atelier.

Ayez simplement à l'esprit que la conception est une chose naturelle. À chaque fois que vous modifiez la disposition des meubles de votre salon ou que vous assortissez une cravate à votre chemise, vous faites un travail de création ; vous combinez des éléments entre eux pour produire un résultat qui vous satisfait et qui répond à votre idée de l'esthétique.

TRAVAILLER D'APRÈS PHOTOGRAPHIE

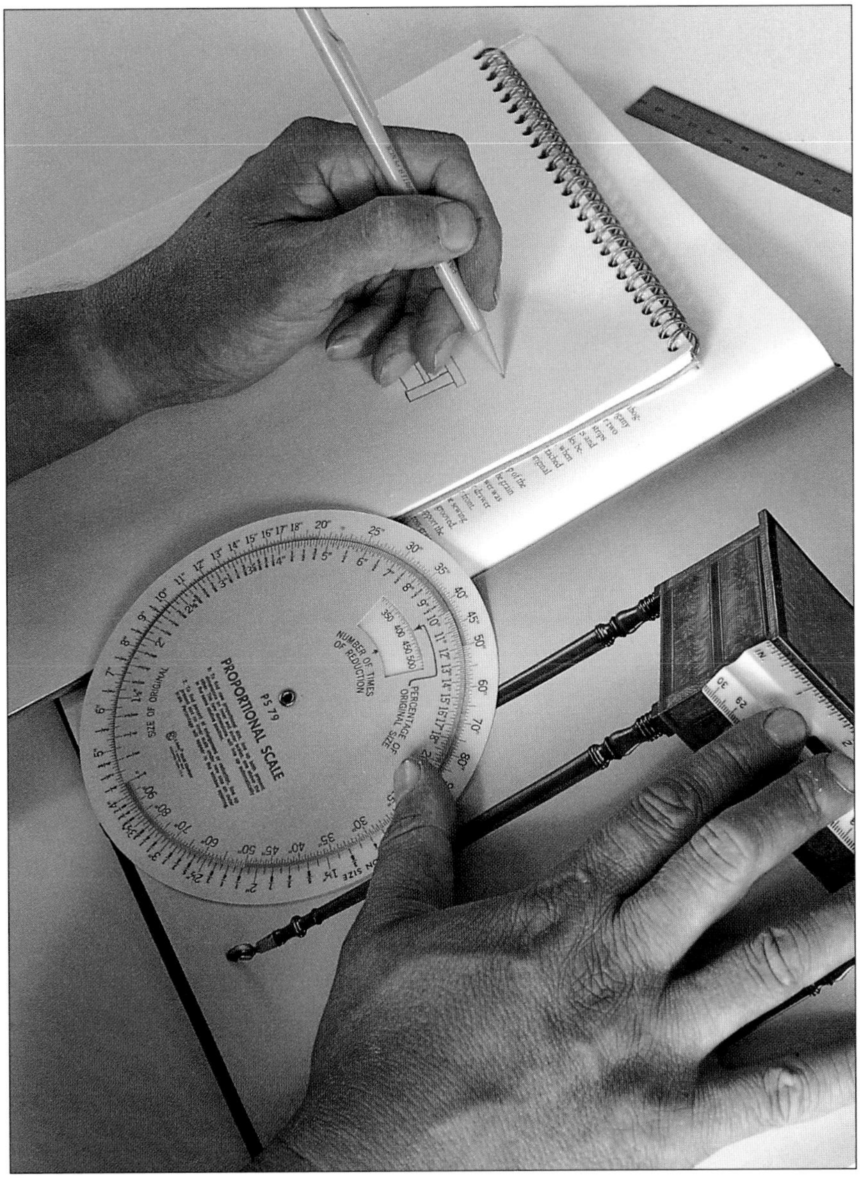

- S'il vous est impossible de trouver les plans d'un meuble ou si vous souhaitez concevoir celui-ci par vous-même, vous pouvez, pour affiner vos idées, vous inspirer des photographies d'un catalogue ou d'un magazine. Mieux même, allez au musée pour observer à loisir quelques pièces de collection.

- Pour retrouver de façon approximative les dimensions d'un meuble figurant sur une photographie, il vous suffit d'en connaître une seule. Une parfaite précision est loin d'être indispensable si le meuble représenté n'a valeur que d'inspiration.

- J'utilise, pour calculer les diverses dimensions, une échelle de proportions, disponible chez la plupart des détaillants de fournitures pour l'art et le dessin.

- Cet instrument est composé de deux cercles concentriques, chacun gradué sur sa circonférence. Il fonctionne de la manière suivante : si un élément d'une dimension connue de 40 cm mesure 10 cm sur la photographie, faites correspondre le 40 du cercle extérieur avec le 10 du cercle intérieur. Mesurez ensuite la largeur du meuble sur la photographie ; par exemple 14 cm. Pour connaître la largeur réelle, lisez sur le cercle extérieur le nombre correspondant au 14 du cercle intérieur ; ici 56 cm.

- Ce procédé reste relativement précis à condition de ne pas modifier la position des deux cercles entre eux après la première mesure. Durant ce processus, efforcez-vous également de corriger les déformations liées à la perspective.

- Lorsque toutes les dimensions du meuble vous sont connues de manière approximative, vous pouvez commencer à dessiner celui-ci. Pour ma part, je n'hésite jamais à en modifier les proportions ou à y ajouter quelques éléments nouveaux pour qu'il demeure agréable à l'œil. Il ne vous reste plus, maintenant, qu'à concevoir les assemblages et à construire votre œuvre.

7. ÉLÉMENTS DE FIXATION

Si les techniques d'assemblages sont par elles-mêmes si efficaces, pourquoi aurions-nous besoin de chevilles ou de tourillons ? Les chevilles et autres éléments de consolidation sont indispensables dans la construction de lourdes charpentes en bois, mais leur rôle est moins important dans la fabrication de meubles. Les clous et les vis sont précieux dans la réalisation de nombre d'assemblages pour assurer un parfait alignement ou renforcer la construction. Utiles pour la pose de charnières et autres accessoires, les vis sont rarement nécessaires pour la consolidation d'un assemblage réalisé à l'aide de colle. Les colles modernes, telle la colle PVA à résine aliphatique spécialement destinée aux menuisiers et charpentiers, sont beaucoup plus résistantes que le bois lui-même. Lorsqu'un assemblage collé se brise, ce n'est généralement pas la colle qui est en cause, mais le bois.

Les ébénistes utilisent principalement des clous tête homme et des pointes de finition de faible diamètre. Ces clous s'avèrent efficaces pour renforcer les assemblages à plat-joint ou d'onglets, et pour maintenir les pièces en position durant le séchage. Du fait de leur faible diamètre, ils sont aisément noyés sous la surface de la pièce à l'aide d'un chasse-clou conique, avant d'être dissimulés par un bouchon ou une noix de pâte à bois. Quelques-uns des assemblages les plus pratiqués font appel à des tourillons : ces chevilles de bois rainurées sont collées dans des trous de diamètre correspondant percés dans les pièces à assembler. Les joints à tourillons sont solides et faciles à recoller lorsqu'ils prennent du jeu. Certains travailleurs du bois leur préfèrent des modes de construction à leur yeux plus résistants, tel l'assemblage à tenon et mortaise. Pour ma part, je considère l'assemblage à tourillons comme très efficace, et comme l'un des plus faciles à maîtriser pour le débutant.

Pour la pose des clous, tourillons et autres accessoires, on peut utiliser indifféremment une massette à tête anti-rebond, un maillet de sculpteur à tête cylindrique, un marteau à panne fendue de 450 g ou un petit marteau japonais.

Ci-contre : Les menuisiers emploient fréquemment des tourillons, petites chevilles de bois figurant en haut à droite de l'illustration, des clous tête homme ou des pointes de finition pour consolider les assemblages. Les petits accessoires à pointe conique placés entre les clous et les tourillons sont des chasse-clous, utilisés pour noyer les clous de faible diamètre sous la surface du bois. Figurent également une massette à tête anti-rebond (en haut), un marteau japonais (à droite), un marteau de charpentier (au centre) et un maillet de sculpteur à tête cylindrique.

8. L'UTILISATION DES OUTILS À MAIN

.e traçage

.es deux outils que j'utilise le plus souvent, l'équerre droite à coulisse et le rusquin de marquage, comptent aussi parmi les plus simples de tout mon équipement. Ils existent dans une grande variété de prix et de tailles ; pour ma part, je me sers d'instruments elativement ordinaires, commercialisés dans tous les magasins d'outillage.

L'**équerre droite à coulisse** est constituée d'une fine languette de métal, la lame, et d'une base plus épaisse, la semelle, formant entre elles un angle de 90°. C'est un instrument ndispensable pour tracer une ligne parfaitement perpendiculaire en travers d'une planche. L'angle droit est l'élément de base de la plupart des assemblages que vous serez amené à effectuer.

Cet instrument est très facile à utiliser : marquez un point sur le bord supérieur de la planche et amenez la ame de l'équerre contre celle-ci. Effectuez ensuite le traçage au crayon après vous être assuré que la semelle est bien plaquée contre le chant de la planche. Le traçage peut être effectué contre l'arête extérieure ou intérieure de la lame ; le traçage intérieur est généralement plus précis.

Ci-contre : L'équerre droite est un outil indispensable dans tout atelier. Le traçage d'une perpendiculaire (haut) ou d'une ligne parallèle à l'un des chants (en bas) comptent parmi les utilisations les plus fréquentes.

La lame et le talon d'une équerre droite forment en permanence un angle à 90° ; je préfère utiliser une fausse équerre, dont la lame peut être ajustée selon un angle quelconque. La molette située sur le talon métallique de cet outil permet de libérer la lame afin d'ajuster sa position ou sa longueur. Ainsi, j'utilise souvent le bout de la lame pour tracer une ligne parallèle à l'une des arêtes d'une pièce de bois. Le réglage de la lame à 45° est particulièrement pratique pour la réalisation d'onglets d'assemblage, processus que vous découvrirez un peu plus loin dans cet ouvrage.

Un crayon bien taillé convient parfaitement à la grande majorité des travaux de traçage ; certains professionnels lui préfèrent une pointe ou un couteau à tracer. Le trait produit par un couteau, plus fin que la plupart des traits de crayon, n'est pas sujet aux variations d'épaisseur dues à l'usure de la mine. De plus, le couteau offre l'avantage d'entailler légèrement les fibres du bois, créant une petite dépression qui s'avère précieuse lorsque l'on amorce, par exemple, une découpe à la scie.

À la différence de celle d'un couteau ordinaire, la lame d'un couteau à tracer est biseautée sur une seule face. Placez la partie droite de la lame contre la lame de l'équerre ; le biseau aidera à maintenir le couteau contre l'équerre durant le traçage. En ce qui me concerne, j'effectue de nombreux traçages avec la petite lame de mon couteau suisse.

Lorsque vous dimensionnez une pièce de bois à l'aide d'une équerre ou d'un trusquin, prenez garde de prendre toutes les mesures à partir du même chant ou de la même face, qui seront vos surfaces de référence.

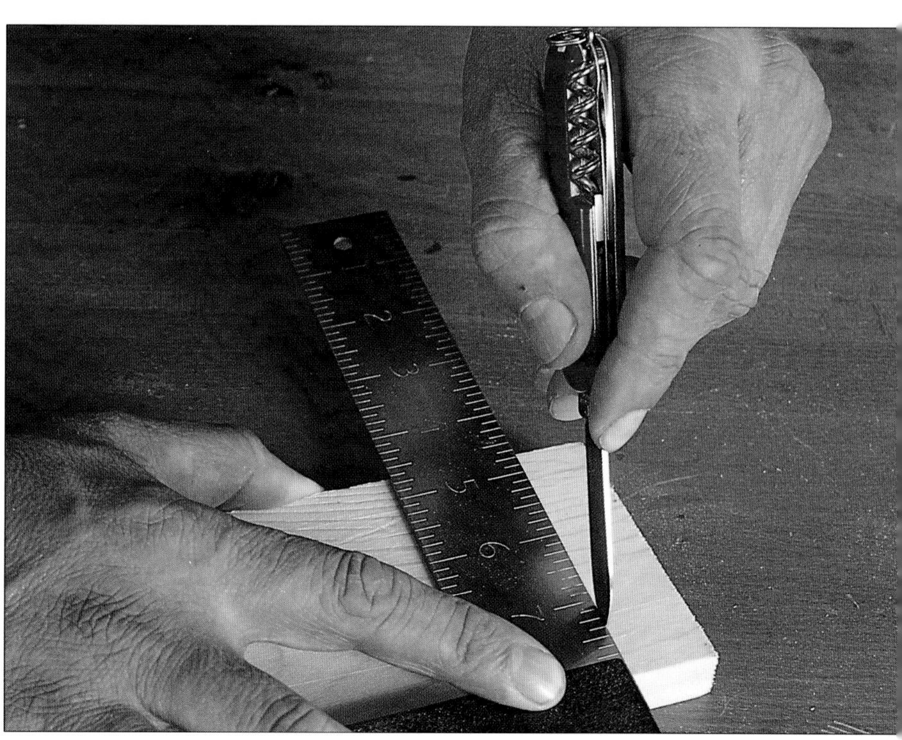

En haut : L'équerre droite peut également servir au traçage d'un onglet.

Ci-dessus : Un couteau de poche bien affûté, tel ce couteau suisse, permet un traçage précis le long d'une équerre métallique.

Ainsi, vous aurez les meilleures chances que la pièce tracée soit à la bonne dimension ou que les divers composants de votre projet s'assemblent sans problème.

J'utilise, pour mes projets, deux trusquins de traçage ; l'un est un trusquin simple dont la tige de 15 cm est traversée à son extrémité par une pointe d'acier. La tige coulisse à travers un orifice ménagé dans une pièce de bois plus massive, le plateau. Une molette ou un papillon placé sur celui-ci permet de verrouiller la tige en place après réglage adéquat de la distance entre la face travaillante du plateau et la pointe d'acier.

Ce trusquin permet d'effectuer un traçage précis sur toutes les faces d'un panneau de bois. Après réglage, placez le plateau contre la face de référence, puis tirez le trusquin vers vous en gardant la pointe appuyée sur la surface à tracer. Il est préférable d'effectuer plusieurs passes successives d'une pression modérée plutôt qu'un seul passage très appuyé. Ceci est particulièrement vrai pour un traçage dans le sens du fil, travail au cours duquel la pointe de l'outil a souvent tendance à dévier de sa ligne.

Similaire en apparence au trusquin de traçage, le trusquin d'assemblage présente une tige équipée de deux pointes réglables. L'ajustement de la largeur entre les deux pointes, et de la distance de celles-ci au plateau de l'outil, permet de tracer en une seule passe les deux limites extérieures d'un tenon et d'une mortaise. Les traits sont précis et d'une découpe facile, assurant un assemblage parfait. Encore une fois, prenez garde d'effectuer le traçage du tenon et de la mortaise à partie de la même face de référence.

En haut : Traçage d'une ligne parallèle à l'une des arêtes à l'aide d'un trusquin simple.

Ci-dessus : Les deux pointes du trusquin d'assemblage permettent de tracer les joues du tenon en une seule opération.

GABARITS, GUIDES ET ACCESSOIRES POUR AMÉLIORER LA PRÉCISION

- Lors d'une visite de la reconstitution d'un atelier de menuiserie du XVIIIe siècle, je suis resté stupéfait devant la variété des gabarits, guides et divers accessoires suspendus aux murs. J'ai longtemps considéré les Shakers comme des artistes à l'habileté inégalable, capables d'effectuer des découpes manuelles parfaitement droites. Je me trompais ; ces artisans possédaient un solide sens pratique : pourquoi dessiner plusieurs fois un motif à main levée ou par transfert lorsqu'un gabarit en bois ou en métal vous servira de longues années ? Pourquoi risquer une découpe approximative lorsqu'un guide fixé à l'aide de serre-joints garantit un parcours précis de la lame ? Lorsque la plupart des découpes sont réalisées selon un même angle, pourquoi ne pas confectionner un accessoire pour vous faciliter la tâche ?

- S'efforcer d'améliorer l'efficacité et le rendement des outils les plus simples constitue un excellent exercice. Ainsi, pour diviser une planche de bois en trois pièces d'égale largeur, placez une règle en diagonale sur la planche en positionnant, par exemple, le 0 sur l'un des bords et le 6 sur l'autre. Tracez ensuite des repères en face du 2 et du 4 pour obtenir trois largeurs équivalentes.

- On peut effectuer le même travail à l'aide d'un compas de traçage et d'une règle. Calculez à l'aide de cette dernière la largeur théorique de chaque latte, ajustez le compas en conséquence, puis marquez les repères à l'aide de celui-ci.

- Au besoin, modifiez le réglage du compas jusqu'à obtenir une division parfaite. Le compas se révélera également très utile pour tracer les cercles, courbes ou dentelures de vos projets.

- Apprenez à réfléchir sur le travail que vous allez entreprendre, et à concevoir des accessoires pour en accroître l'efficacité.

Ci-dessus : Comment calculer la largeur de chaque latte à l'aide d'une règle graduée.

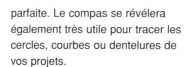

Ci-contre : Le compas permet le marquage d'intervalles égaux.

Les scies

Correctement affûtées, les scies à main sont très efficaces, particulièrement quand il s'agit d'éliminer une faible quantité de rebut lors de la réalisation d'assemblages. Je n'ai ni l'habileté ni la patience nécessaires à l'affûtage d'une scie dans les règles de l'art ; c'est pourquoi je laisse d'ordinaire ce soin à un spécialiste.

Tout atelier correctement équipé se doit de posséder deux scies de menuisier, à tronçonner et à refendre, une scie Ryobi japonaise, dont la lame tronçonne d'un côté et refend de l'autre, une scie à dos, pour la découpe des tenons et autres éléments d'assemblage, et une scie à queue d'aronde, utile pour le façonnage des assemblages du même nom.

Les scies à tronçonner sont conçues pour les découpes du bois en travers du fil. Leur denture présente en règle générale de 8 à 10 pointes par pouce (2,54 cm) pour un travail propre et faiblement dommageable pour le bois.

Les scies à refendre opèrent dans le sens du fil, un travail beaucoup plus délicat que le tronçonnage, et ont une denture de 4 à 6 pointes par pouce ; leur découpe est plus agressive. Malgré tout, même avec une scie à refendre, la découpe en long d'une planche de 2,50 m est une tâche souvent fastidieuse.

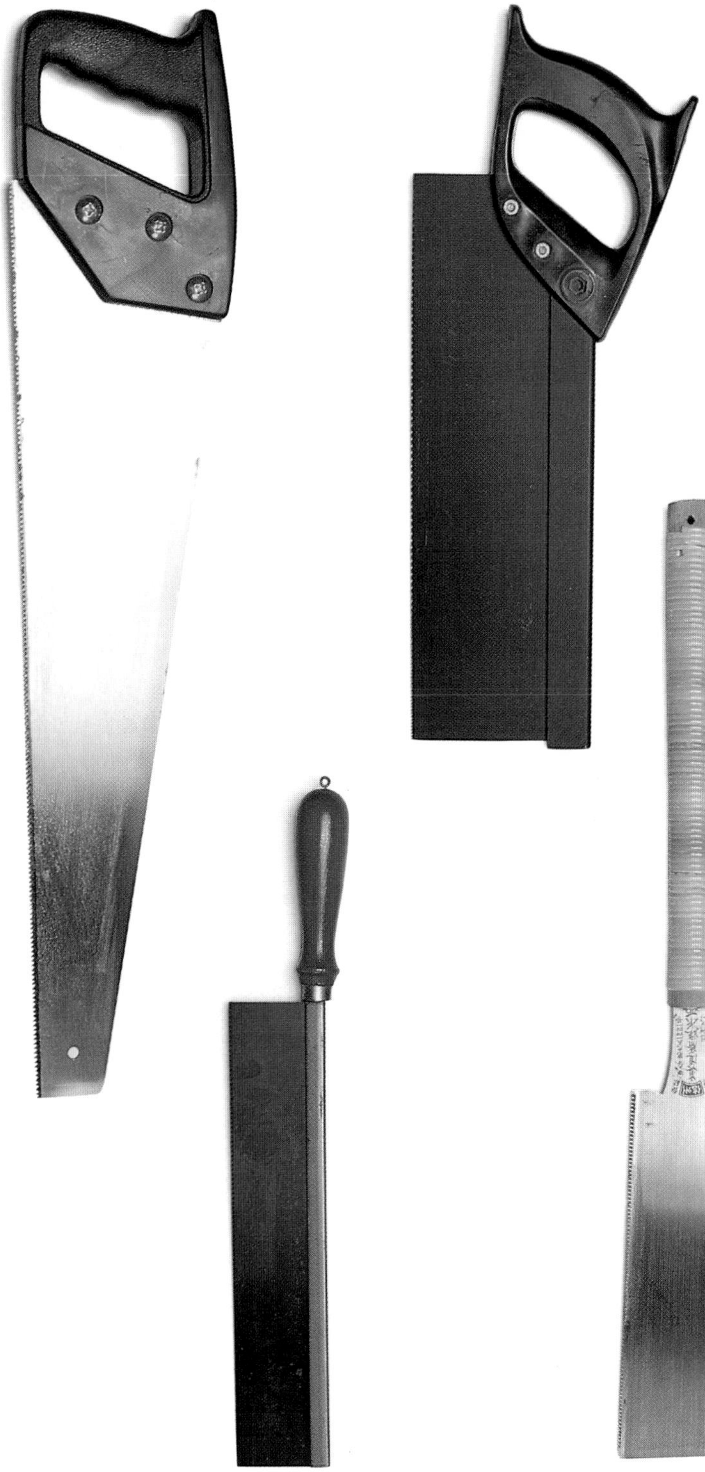

Ci contre : Scies à main de formes et de dimensions variées : scie à tronçonner (en haut à gauche), scie à dos (en haut à droite) pour la découpe des tenons et autres éléments d'assemblage, scie japonaise à double denture (en bas à droite), qui, à l'inverse des scies occidentales, découpe sur la traction, et petite scie à queue d'aronde (en bas à gauche).

La lame des scies à refendre et des scies à tronçonner est de forme évasée ; celle des scies à dos est de forme rectangulaire. À la différence de la plupart des scies, la scie à dos ne s'utilise lame inclinée qu'à l'amorce de la découpe ; une fois le trait de scie établi, la lame travaille à plat sur toute la largeur de la planche.

Avant de procéder à une découpe, prenez soin d'effectuer un traçage préliminaire à l'aide d'une équerre ou d'un trusquin. Gardez à l'esprit qu'une scie occidentale découpe sur la poussée et que lors du sciage, c'est la face inférieure de la pièce qui est la plus sujette aux éclats. Ayez toujours soin d'amorcer vos découpes sur la face de parement des pièces travaillées.

Efforcez-vous, lorsque cela est possible, de prolonger le traçage sur les chants d'une planche à découper. De la sorte, vous aurez les meilleures chances de réaliser une découpe parfaitement perpendiculaire. Si le trait de scie est correctement amorcé, la suite du travail ne posera guère de problèmes.

Il est important, une fois le traçage effectué, de débuter la découpe dans les règles de l'art. Tenez la poignée de la scie fermement mais sans pression excessive.

Étendez l'index le long de la poignée, de manière à orienter plus facilement l'outil durant le travail, et placez le pouce de votre main libre contre le dos de la lame pour maintenir celle-ci dans la position adéquate. Certains artisans utilisent une équerre pour s'assurer que la lame de la scie est parfaitement perpendiculaire à la face découpée.

À gauche : Amorcez une découpe à la scie à dos en inclinant faiblement la lame. Prolongez le trait de scie sur toute la largeur de la planche de manière à ce que la denture travaille dans le même plan que la surface découpée.

Amorcez la découpe selon un angle d'attaque presque plat en plaçant la denture sur l'extérieur du trait, côté bois de chute. Tirez la scie vers vous de sorte que la denture morde l'angle de la planche, puis réitérez l'opération pour approfondir l'entaille. Évitez, ce faisant, d'exercer une pression excessive – le poids d'une scie bien affûtée suffit à entamer le bois – ou de forcer la course de la lame. Une fois le trait de scie bien établi, continuez la découpe de façon normale. Soyez attentif, durant le travail, au bruit de l'outil et aux éventuelles vibrations, et modifiez au besoin l'angle d'attaque de la scie.

Destinée à la découpe de formes courbes, la scie à archet est constituée d'un cadre métallique maintenant en tension une lame étroite et flexible. La lame, qui doit être montée dents orientées vers la poignée, agit sur la traction. Lors de la découpe, elle doit être maintenue droite et en contact avec toute la surface à scier. Ceci constitue rarement un problème car cet outil est généralement réservé à la découpe de pièces de faible épaisseur.

FIXATION RAPIDE

- Pour fixer une pièce de bois sur votre établi, les coins constituent un moyen peu onéreux. Placez un coin contre deux griffes (ou un tasseau) fixé au moyen de serre-joints. Installez deux autres griffes (ou un deuxième tasseau) et adossez-y la pièce à travailler. À l'aide d'un maillet, insérez un deuxième coin, en position inversée, entre celle-ci et le premier coin, de manière à bloquer l'ensemble. Une légère action du maillet en direction inverse suffira à libérer les trois éléments.

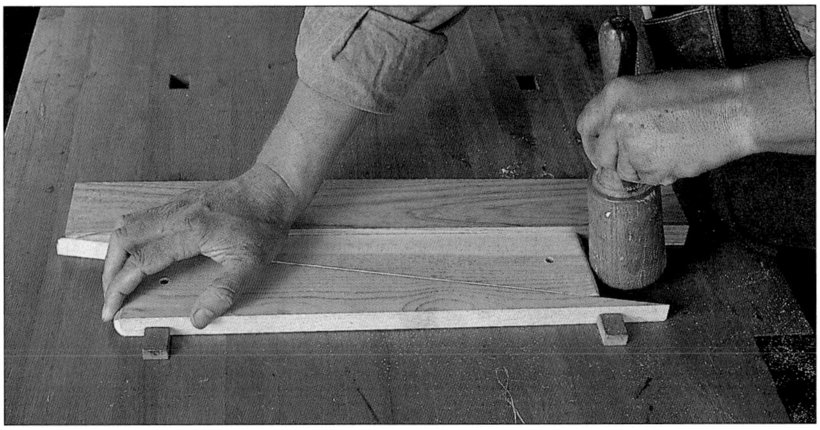

Ci-contre : La scie à tronçonner de menuisier convient parfaitement pour la découpe transversale d'une planche.

À gauche : L'étroite lame de la scie à archet permet la découpe de formes courbes.

CISEAUX À BOIS

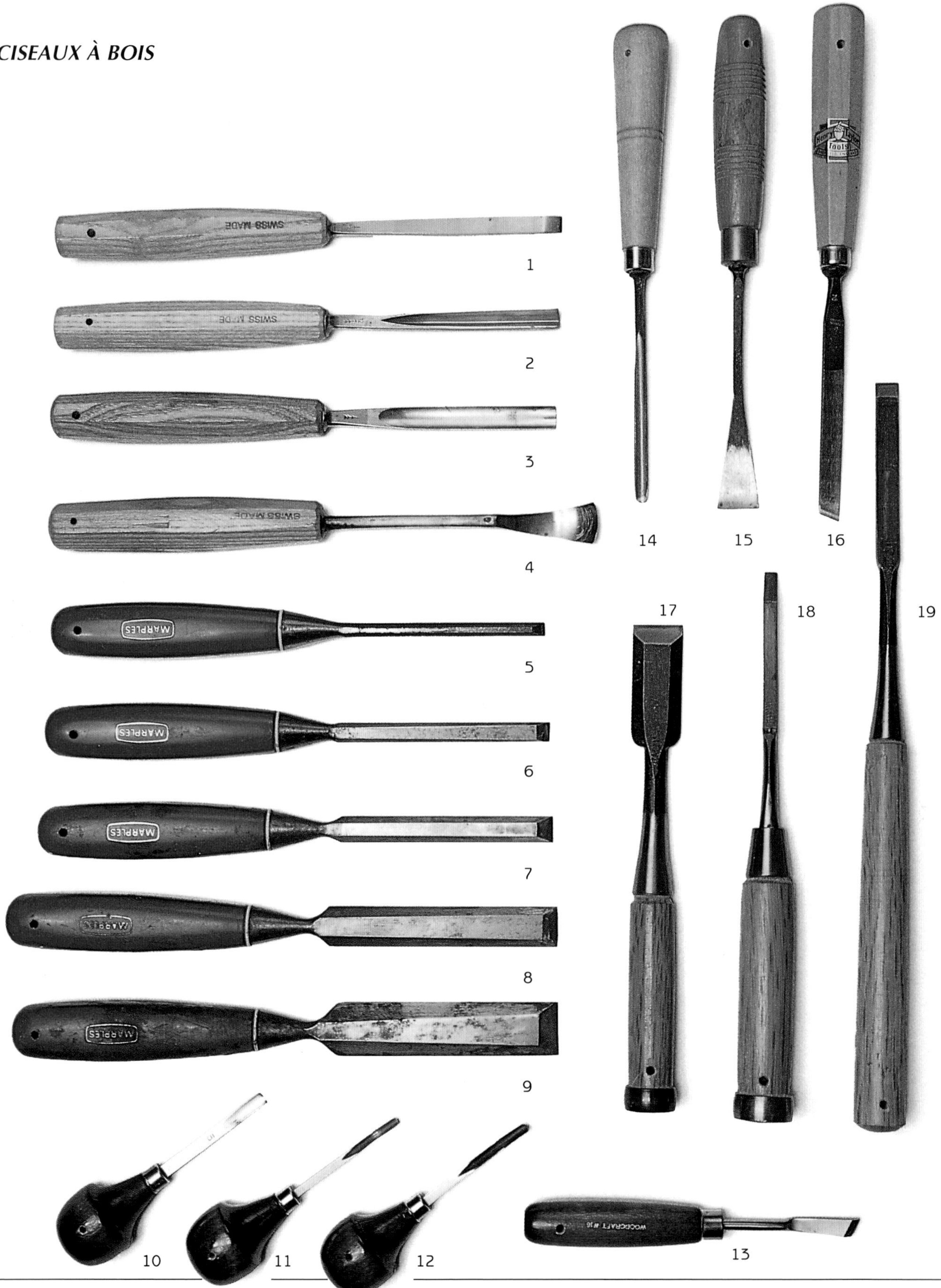

age ci-contre : Les ciseaux à bois les plus ourants.

Fermoir droit (sculpture sur bois)

Gouge de dressage (sculpture sur bois)

Gouge (sculpture sur bois)

Gouge spatulée (sculpture sur bois)

à 9 Ciseaux de menuisier à lame hanfreinée

0 à 13 Petits outils de sculpteur

4 Gouge creuse (sculpture sur bois)

5 Fermoir spatulé (sculpture sur bois)

6 Fermoir oblique (sculpture sur bois)

iseaux japonais en acier laminé

7 Ciseau de menuisier

8 Bédane

9 Ciseau de dressage à long manche

Un ciseau à bois n'est, en fait, qu'une lourde lame plate en acier trempé prise, à une extrémité, dans un manche, et terminée, à l'autre, par un biseau tranchant. Ces outils sont forcés dans le bois à la seule force des mains ou à l'aide d'un maillet.

Comme avec la plupart des instruments de découpe, un tranchant bien affûté vaut mieux qu'une pression exagérée sur l'outil. Apprenez à affûter vos lames tel que décrit au chapitre 9 ; l'exercice est plus simple qu'il n'y paraît. De plus, non content de grandement simplifier votre travail, ce nouveau savoir vous rendra très populaire dans la cuisine !

Lors d'un travail au ciseau à bois, évitez les trop grands mouvements ; abstenez-vous également de travailler d'une seule main en maintenant le pièce de bois de l'autre. Pour minimiser les risques de blessure, fixez la pièce travaillée sur le plateau de l'établi et procédez aux découpes en gardant toujours les deux mains sur le ciseau, en arrière du tranchant.

Ci-contre : Actionnés dans le sens des fibres, les ciseaux à dos plats découpent de fins copeaux ; en travers des fibres, ils ont tendance à éclater le bois.

Ci-dessous : Pour dresser le bois de bout des queues d'aronde, le tranchant du ciseau doit être parfaitement affûté.

Ci-dessous à droite : Les ciseaux sont souvent forcés dans le bois à l'aide d'un maillet.

N'actionnez jamais un ciseau à bois vers vous, et si, par mégarde, l'outil vous échappe, abstenez-vous de le rattraper au vol ou d'amortir sa chute avec le pied.

Pour débuter, choisissez de préférence plusieurs ciseaux droits de menuisier, dont la largeur de lame s'échelonne de 6 à 25 mm. Nombre de travailleurs du bois réalisent leurs découpes dans le sens et en travers du fil en plaçant la planche de la lame contre le bois. Pour ma part, je trouve plus facile de guider l'outil lorsque le biseau repose sur la pièce travaillée. Dans cette position, il y a peu de risques que la lame entame trop profondément le bois, comme c'est souvent le cas lors d'une découpe biseau en haut, particulièrement en travers du fil. Pour un dressage de finition en travers du bois de bout, opération fré quente lorsque l'on façonne de queues d'aronde, placez le tranchar sur la ligne de découpe, biseau côt rebut. Guidez ensuite l'outil à l'aide d vos seules mains.

Après quelque temps, vous pourre envisager l'achat de ciseaux spéciali sés, notamment pour la réalisation d mortaises. Plus lourd que le ciseau droit ordinaire, le bédane découpe e une seule passe de grandes quantité de rebut.

Les gouges et fermoirs de sculpteu adaptés au travail dans le sens et en tra vers du fil, permettent de creuser un pièce de bois. On les guide avec le mains ou à l'aide d'un maillet.

À gauche : Avec leur tranchant incurvé, les gouges découpent le bois de manière rapide et efficace, dans le sens ou en travers des fibres.

Ci-dessous (de gauche à droite) : maillet de menuisier, marteau de charpentier à manche en acier, marteau pour pointes fines et chasse-clou.

Marteaux et maillets

Les maillets sont très utiles en menuiserie. Pour un travail au ciseau, j'utilise un maillet de sculpteur ; sa tête de forme cylindrique assure un bon contact avec le manche de l'outil quel que soit l'angle d'attaque. Ainsi, nul besoin de “ viser ” à chaque frappe, comme cela s'avère souvent nécessaire lorsque l'on use d'un marteau. De plus, au contraire de l'acier, le bois ne risque pas d'endommager le manche des ciseaux. Optez pour un maillet adapté à votre main ; un modèle de 450 g est amplement suffisant pour un usage ordinaire.

Un marteau de charpentier de 450 g convient à la plupart des travaux de menuiserie. J'utilise essentiellement le mien pour la pose de clous tête homme et de pointes fines. Les marteaux à tête anti-rebond en matière synthétique, utilisés par les carrossiers, sont très pratiques pour les travaux d'assemblage.

Rabots

Les rabots comptent parmi mes outils à main préférés. Il y a quelque chose de magique dans les monticules de copeaux qu'ils créent quand ils corroient ou lissent une pièce de bois brut.

Les ébénistes du XVIIIe siècle possédaient un grand nombre d'outils de rabotage, chacun réservé au façonnage d'un détail ou d'une moulure spécifique. De nos jours, la plupart de ces formes sont réalisées rapidement et à la perfection à l'aide d'une défonceuse portative ou des machines-outils des professionnels.

Les rabots que j'utilise le plus souvent sont un petit rabot à recaler, un rabot à replanir et un guillaume d'assemblage. J'apprécie également le rabot traditionnel en bois et le riflard, utile pour dégrossir rapidement une pièce de bois. De nombreux artisans consacrent des heures au réglage de leurs rabots ; pour ma part, ce réglage me pose peu de problèmes dès lors que le fer de l'outil est bien affûté. Un tranchant d'une parfaite efficacité est ici indispensable.

Le rabot est un outil relativement simple : un corps supporté par une base plate appelée semelle, deux parois latérales perpendiculaires à celle-ci, deux poignées, et un ensemble de coupe incliné en constituent les principaux composants. Ce dernier est lui-même composé d'un fer, d'un contre-fer et d'un bloc d'arrêt. Lorsque vous faites l'acquisition d'un rabot, assurez-vous qu'il est bien accompagné d'une notice de fonctionnement.

Soyez particulièrement attentif aux instructions relatives au réglage du contre-fer et de la profondeur de coupe. Rapprochez le contre-fer de l'extrémité du fer pour une découpe de finition ; éloignez-le, au contraire, pour réaliser un travail plus grossier. Pour obtenir un réglage parfait, il est parfois nécessaire de meuler l'extrémité du contre-fer. N'essayez pas de retirer une quantité importante de bois en une seule fois ; travaillez plutôt en passes successives, à une faible profondeur de coupe. Pour juger de celle-ci et vous assurer que le fer est bien parallèle à la semelle, placez le rabot semelle vers le haut dans l'alignement de votre œil.

En matière de rabotage, la règle d'or est de travailler dans le sens du fil. Il existe de nombreux " trucs " pour déter-

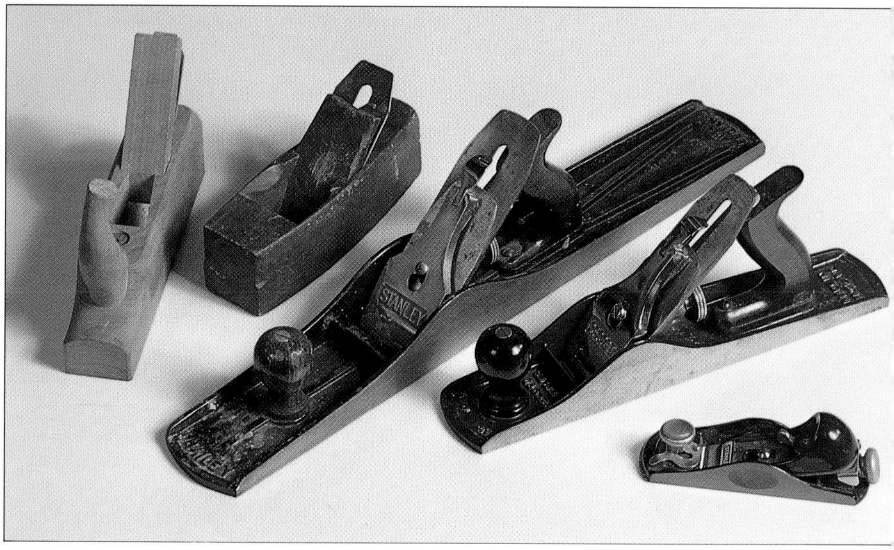

En haut : Les rabots de grande taille conviennent aux travaux de finition, ceux de taille plus réduite au dégrossissage.
De gauche à droite : riflard pour dégrossissage rapide, petit rabot traditionnel en bois, long guillaume d'assemblage, rabot à replanir et rabot à recaler.

Ci-dessus : Anatomie d'un rabot : corps, fer, contre-fer et bloc d'arrêt.

iiner la direction de travail appropriée. n l'espèce, rien ne remplace l'expéence ; en attendant d'avoir construit vôtre, essayez donc ce système qui i'a été enseigné par Bruce Hoadley, n spécialiste du bois américain.)bservez le bois de bout de la pièce availlée et repérez le sens d'incurvaon des cernes de croissance. Rabotez face de la planche orientée côté œur dans la direction des incurvaons ogivales formées par le dessin, elle orientée côté écorce dans la irection inverse. En dernier recours, uettez la réaction du bois ; s'il a tenance à éclater, changer la direction du abotage. Examinez attentivement la lanche travaillée à la recherche d'un ndice qui vous permettra, plus tard, 'appréhender correctement une lanche similaire.

Certains bois, tel l'érable, présenent des fibres étroitement serrées et nchevêtrées, et sont particulièrement ujets à l'éclatement. Pour raboter ce /pe de surface, travaillez lentement et la profondeur de coupe minimale.

Pour le rabotage lui-même, je n'ai as de procédé magique. J'effectue des asses chevauchantes dans la longueur e la pièce travaillée en plaçant le abot à plat et orienté à 45°. À mesure u travail, je modifie graduellement angle du rabot pour finalement placer elui-ci parallèlement à la longueur de a planche lors des dernières passes.

Les petites griffures visibles sur la urface rabotée, que même l'artisan le lus habile ne peut éviter, seront élimiées ensuite au moyen d'un bloc à oncer.

Ci-dessus : Rabotez la face de la planche orientée côté cœur dans la direction des pointes des incurvations formées par le dessin, celle orientée côté écorce selon une direction opposée à la pointe des incurvations.

Ci-dessus : Au dernier stade du rabotage, l'outil est positionné presque parallèlement aux bords.

Ci-contre : pour une faible profondeur de coupe, l'extrémité du contre-fer est proche du tranchant du fer. Le bloc d'arrêt permet le serrage de la vis maintenant les deux éléments ensemble.

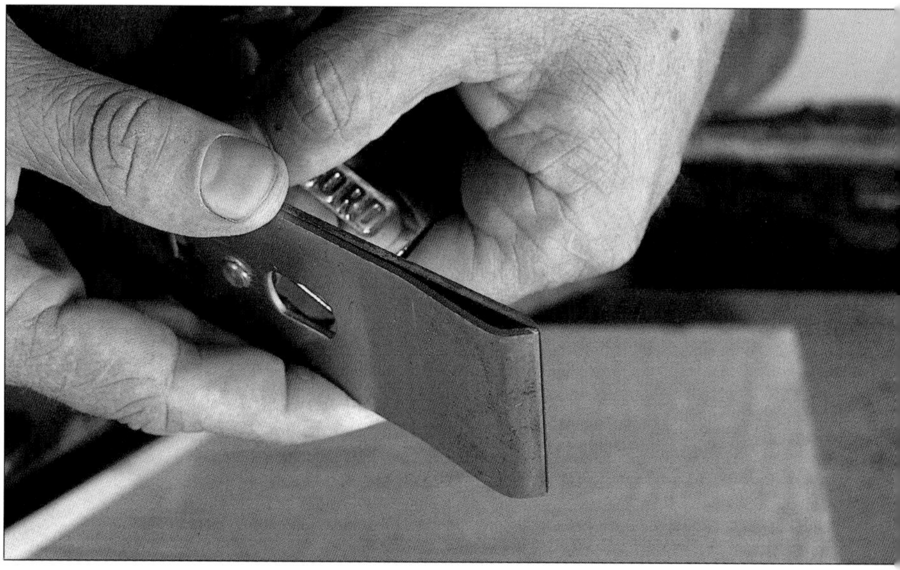

Certains préfèrent cependant la texture d'un bois fraîchement travaillé par un fer de rabot bien affûté.

Varlopes et demi-varlopes conviennent particulièrement au dressage des chants. Arasez, dans un premier temps, les points hauts en procédant par passes faiblement appuyées. Après quelques passes, il devient possible d'étendre le mouvement sur toute la longueur de la pièce. Contrôlez la position du rabot du bout des doigts afin que le chant travaillé demeure bien perpendiculaire aux deux faces.

utres outils à main nécessaires

Jn **chasse-clou** en acier, tels ceux pré-
entés page 26, s'avère très pratique
our la pose de clous tête homme et de
ointes de finition. Il est souvent com-
nercialisé par série de quatre unités. Le
hasse-clou présente une tête cylin-
rique, frappée par le marteau, et une
ointe conique dont le diamètre doit
orrespondre à celui du clou chassé.

Il est rare que l'on souhaite qu'un
lou dépasse de la pièce dans laquelle
est enfoncé. L'usage exagéré du mar-
eau n'est pas non plus souhaitable, car
n risque de marquer la surface tra-
aillée ; une fois vernis, ces témoi-
nages de notre excès d'énergie
autent aux yeux. La bonne méthode
onsiste à marteler le clou jusqu'à ce
u'il saille légèrement de la surface,
uis à noyer celui-ci dans le bois à
aide d'un chasse-clou de diamètre
déquat. On comble ensuite le trou
ormé avec de la pâte à bois.

Quelques outils de rabotage peu
néreux vous seront également utiles,
ar exemple pour arrondir les arêtes
'une planche ou d'un tenon. Les **limes
métaux** ordinaires conviennent éga-

lement au travail du bois ; elles sont efficaces sur les surfaces planes comme sur les surfaces courbes et sont capables d'un façonnage très précis. Souvenez qu'une lime agit seulement sur la poussée ; évitez de travailler en traction sous peine d'user prématurément l'outil.

Dotée de dents de grande taille, la **râpe** est fortement abrasive. Pour retirer un volume de rebut important, utilisez d'abord cet outil, puis effacez les marques à l'aide d'une lime avant d'opérer un lissage final des surfaces au papier de verre.

Ci-dessus : Dotée de dents de grande taille, la râpe attaque le bois de manière plus agressive que la lime.

En haut : Limes et râpes sont des outils de rabotage très efficaces. À l'aide d'une lime, on peut arrondir les arêtes d'une pièce de bois très rapidement.

À gauche : La lime convient également au dressage d'un chant.

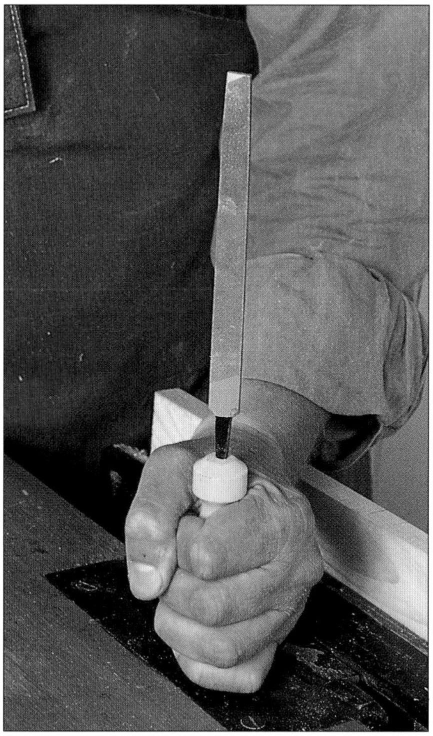

Ci-dessus : Les limes sont plus faciles et plus sûres à utiliser lorsqu'elles sont emmanchées. Insérez la soie de l'outil dans un trou percé dans le manche, puis frappez plusieurs fois celui-ci sur le plateau de l'établi ; la lime glisse dans le manche comme par magie.

Vous éviterez les risques de blessure en utilisant une lime munie d'un manche. Au besoin, emmanchez l'outil vous-même en achetant un manche ou une longueur de rondin. Percez au centre de la pièce de bois cylindrique un trou d'une longueur égale à celle de la soie – la partie effilée à l'extrémité de l'outil – et d'un diamètre équivalent à sa largeur à mi-hauteur. Insérez ensuite la soie dans le manche, puis frappez la base du manche contre une surface dure. La force de l'impact suffit à ancrer la soie dans le bois.

Le **rabot Surform** est un outil abrasif, composé d'un corps en plastique et d'une lame métallique ajourée et dentelée. Disponible en de nombreuses formes et dimensions, cet instrument produit une découpe efficace et fine. Ici, nul besoin d'affûtage ; changez simplement la lame lorsqu'elle est émoussée.

À droite : Les rabots Surform et outils similaires possèdent une lame métallique percée de trous, capable de retirer rapidement un important volume de rebut.

9. L'AFFÛTAGE

ombre de travailleurs du bois classent affûtage de leurs outils parmi les ıches les plus rébarbatives. Je n'ai, our ma part, jamais compris pour-uoi. Mon grand-père affûtait et lissait bien la lame de son rasoir que son ıenton était toujours net de coupures ; en ai conclu que l'affûtage était une es sciences qu'il me fallait apprendre. ujourd'hui, s'il existe des méthodes e rasage plus simples, le bon affûtage es lames, fraises et fers reste essentiel ans bien des domaines.

Un outil affûté est moins dangereux u'un outil émoussé ; c'est une des rai-ɔns qui doit vous inciter à pratiquer n affûtage régulier. L'utilisation d'un util correctement affûté réclame ıoins de force et laisse plus de place u contrôle et à la précision. De plus, ne lame acérée laisse une découpe ette qui contribue à l'esthétique des bjets travaillés. Ainsi, si vous passez ıaître dans le maniement et l'affûtage e vos outils, vous économiserez de ombreuses heures de ponçage. Une urface travaillée au papier de verre ccepte moins bien les produits de fini-on, et le ponçage n'est pas une tâche es plus agréables.

Mon matériel de base pour l'affûtage e compose d'un touret à meuler monté ur un support et d'un assortiment de ierres. J'utilise à la fois des pierres à huile t des pierres japonaises à eau, ces der-ières ayant aujourd'hui ma préférence. Ces deux types d'ustensiles possèdent hacun leurs avantages. Les pierres à uile sont résistantes et conviennent à affûtage des tranchants droits ou incur-és. Moins dures que les pierres à huile, es pierres japonaises doivent être utilisées vec précaution afin d'éviter les marques ıdésirables. Je dresse les miennes avant haque usage à l'aide d'un morceau de ɔile émeri collé sur une petite plaque de verre. J'évite d'utiliser une pierre à eau pour l'affûtage des fermoirs de sculpteur, car ceux-ci semblent en creuser la surface aussi facilement que le bois, rendant la pierre inutilisable pour mes autres outils.

Ci-dessus : Touret à deux meules de forme standard.

Ci-contre : Dressage d'une pierre à affûter japonaise à l'aide d'une toile émeri.

Les pierres à eau japonaises conviennent parfaitement à l'affûtage des ciseaux droits et des fers de rabots. Je débute le processus avec une pierre dure de grain 800, puis je diminue graduellement la dureté jusqu'au lissage final sur une pierre de grain 8 000. Cette opération ne nécessite aucune connaissance particulière. Après avoir soigneusement aplani la pierre, placez le biseau de la lame ou du fer à plat sur la surface. Ayez soin de tremper la pierre avant de débuter ; si nécessaire, ajoutez un peu d'eau durant le processus. Un simple vaporisateur fera parfaitement l'affaire.

Inclinez légèrement le poignet de façon à ce que le biseau reste bien en contact avec la pierre. Par précaution, je place parfois les doigts de ma main libre non loin du tranchant pour guider et maintenir la lame. Déplacez lentement la lame sur la longueur de la pierre en prenant garde de maintenir le biseau à plat. Ce faisant, décalez la course de l'outil latéralement pour tirer le meilleur parti de la surface abrasive et pour éviter de creuser celle-ci sur l'axe médian. Après avoir travaillé quelque temps sur le biseau, retournez la lame pour en lisser la planche. Ainsi vous serez sûr que celle-ci est parfaitement plane de la base au tranchant, un atout important lorsqu'il s'agit de tailler une queue d'aronde ou de dresser une joue de tenon.

À mesure de l'affûtage, vous noterez l'apparition d'une poussière de particules de pierre et de métal à la surface de la pierre. Ne vous inquiétez pas ; cette poussière est en fait pour beaucoup dans l'efficacité du processus. Au besoin, mouillez les particules avec un peu d'eau et continuez. Avec un peu de pratique, il vous sera possible de déterminer la quantité d'eau à utiliser pour atteindre une efficacité optimale.

Prenez garde à une chose : la surface mouillée de la pierre est si fraîche que l'on oublie rapidement ses vertus abrasives. Ceci est encore plus vrai avec une pierre à huile ; passez votre doigt sur la surface travaillante et vous comprendrez qu'il vaut mieux être prudent ! Lors de ma première expérience avec une pierre à huile, j'étais si heureux du travail effectué que j'ai à peine remarqué les nombreuses traces rouges qui en constellaient la surface. Avec beaucoup d'entrain, j'avais affûté la pointe de mes doigts en même temps que l'outil ! Le menuisier chez qui je me formais me confirma que cet incident n'était pas rare chez les débutants.

Ci-dessus : Placez vos avant-bras dans le même plan que la pierre pour l'affûtage d'un ciseau droit.

Ci-contre : N'oubliez pas de lisser la planche de la lame.

Les techniques d'affûtage sur pierre à huile sont similaires à celles décrites plus haut, mais le processus est, à mon avis, plus long. Faites en sorte que la surface de la pierre reste constamment huilée, afin que les particules de métal puissent s'évacuer à mesure du travail. Les pierres à huile ne nécessitent pas un dressage aussi fréquent que les pierres à eau ; il faut simplement intervenir lorsqu'elles commencent à se creuser, ce qui, souvent, ne se produit pas avant plusieurs années.

aut-il préférer l'affûtage à l'eau à l'affûtage à l'huile ? A mon avis, aucune le ces deux méthodes n'est parfaite : huile laisse de vilaines traces métaliques sur le bois ou les mains, et l'eau eut provoquer la rouille des outils si on ne prend pas garde d'en essuyer oigneusement toutes les parties métaliques après affûtage.

Je restreins l'utilisation de la meule à affûtage des outils en acier rapide, natériau assez résistant pour endurer ette méthode sans dommages. Une neule tournant à la vitesse de 3 700 rs/mn peut aisément bleuir le tranchant t détremper le métal des lames et fers. 'rocédez avec prudence lorsque vous ffectuez un affûtage mécanique, et ;ardez toujours à portée de main un écipient rempli d'eau pour refroidir égulièrement la lame de l'outil.

Régulièrement désencrassée, une neule a moins tendance à l'échauffenent ; retirez les particules de métal à aide d'une molette décrasse-meule ou l'une pierre à dresser (cette dernière offre l'avantage de lisser la surface tra-aillante).

La meule constitue l'outil parfait our réparer un tranchant endommagé ar une chute ou un choc avec un objet nétallique. Cette opération nécessite arfois de modifier l'angle du biseau. 'renez votre temps, particulièrement si a quantité de métal à retirer est imporante. Pour réparer un tranchant ébréhé, vous aurez sans doute à meuler elui-ci à plat. Procédez sans précipitaion, en prenant soin de tremper la lame lans l'eau à intervalles réguliers. 'ensez également à vérifier l'équerrage lu biseau à l'aide d'un té métallique. Jne fois égalisé, le tranchant sera sans loute aussi épais que celui d'un couteau à beurre ; il faudra donc le réaffûer. Après un meulage préparatoire, erminez le travail, affûtage de finition t lissage, à l'aide de pierres à affûter.

On peut fabriquer ou se procurer une ;rande variété de supports et guides pour l'affûtage à la meule ; pour ma part, les supports fournis avec la machine, bien adaptés à divers travaux, me conviennent amplement. Il vous sera cependant utile, si vous affûtez souvent des fers de rabots de grande taille, de prolonger le support existant ou de façonner un guide auxiliaire en bois. Pour débuter l'affûtage, je guide la lame du bout des doigts, en appuyant le dos de ceux-ci sur le support ; ceci demande un peu de pratique, c'est pourquoi il est préférable, pour un débutant, de poser la lame sur le support réglé à l'angle souhaité. J'affûte les biseaux de mes lames et fers à un angle compris entre 25° et 30°. La longueur du biseau est alors double de l'épaisseur de la lame. Certains artisans travaillent les bois tendres avec un biseau plus plat, d'autres les bois durs avec un biseau d'une inclinaison supérieure à 30°. N'hésitez pas à faire des essais ; rien ne vous oblige à conserver en l'état le biseau de l'outil que vous venez d'acheter.

Un bon travailleur du bois ne doit jamais laisser s'émousser ses outils. En repassant leurs lames après chaque usage, vous vous éviterez un long réaffûtage et aurez l'assurance, en retour, de leurs loyaux services.

Si vous éprouvez des difficultés à maîtriser les techniques de l'affûtage, rendez visite à un magasin d'outillage et faites vous présenter quelques-uns des guides disponibles.

Certains sont spécialement conçus pour l'affûtage des ciseaux droits et des fers ; ils comprennent un étau, qui maintient l'outil à l'angle adéquat, et un dispositif permettant d'amener l'ensemble au dessus de la meule. Ces accessoires sont très onéreux, mais certains travailleurs du bois ne jurent que par eux. D'apparition récente, les meules à eau horizontales sont très efficaces ; leurs accessoires de guidage permettent un affûtage très précis.

Ci-dessous : Le décrasse-meule aide également au dressage de la surface abrasive.

En haut : Procédez avec précaution lorsque vous meulez le tranchant d'une lame à plat.

Au centre : Vérifiez à l'aide d'un té métallique que le tranchant est bien rectiligne et perpendiculaire.

Ci-contre : Utilisez le support à l'angle préconisé jusqu'à ce que vous vous sentiez capable de faire vos propres expérimentations.

10 L'UTILISATION DES MACHINES-OUTILS

La scie circulaire sur table

'est l'un des instruments les plus itiles dans l'atelier du menuisier ; c'est ussi le plus dangereux. Puissante, la cie circulaire sur table effectue une rande variété de tâches avec rapidité t précision, mais il faut s'en servir vec la plus grande prudence.

Il existe une telle variété de scies sur able sur le marché qu'il serait impossible de décrire l'ensemble des modèles lans ce seul chapitre. Reportez-vous, our votre propre outil, au livret d'instructions fourni par le fabricant et soyez articulièrement attentif aux pages oncernant la sécurité.

Une scie sur table courante comrend principalement un plateau nétallique percé en son centre d'une uverture oblongue. Sous le plateau, in mécanisme complexe supporte un rbre horizontal, connecté par le biais l'une courroie au moteur électrique. 'autre extrémité de l'arbre est filetée our permettre le montage de la lame, aquelle doit être positionnée dents rientées vers l'opérateur. La lame peut tre levée ou abaissée, pour modifier la rofondeur de coupe, et inclinée, de haque côté, jusqu'à un angle de 45°.

L'ouverture du plateau est plus arge que la lame de la scie. L'espace ibre est occupé par une plaque à umière, pièce métallique de forme ectangulaire percée d'une fente permettant le passage de la lame. La plupart des lumières standard ménagent in espace d'environ 9 mm de part et l'autre de la lame ; nombre d'artisans emplacent cet accessoire par une ièce de bois, qu'ils ajustent plus près le la lame pour offrir un meilleur support à la pièce travaillée.

Situé directement derrière la lame, e couteau diviseur est un accessoire très important : il s'insère dans le trait de scie fraîchement découpé, évitant ainsi toute friction excessive de la lame et un possible retour de la pièce travaillée vers l'opérateur. Certaines machines peuvent être équipées d'un protecteur destiné à éviter ce genre de problèmes. À cet égard, consultez le livret d'instructions pour obtenir de plus amples informations. L'emploi d'accessoires de découpe spécialisés, tels que têtes à rainer ou à moulurer, nécessite le montage de plaques à lumière spécifiques. N'utilisez jamais ces accessoires avec une plaque standard.

Il existe deux guides principaux aidant au contrôle et au support des pièces découpées. Le guide de coupe parallèle coulisse sur deux barres métalliques placées aux extrémités avant et arrière de la table.

Ci-dessus : Puissante et polyvalente, la scie circulaire sur table est au centre de l'activité dans nombre d'ateliers. Cette machine-outil doit cependant être traitée avec prudence. Ici, pour une meilleure compréhension, les protecteurs de la machine ont été ôtés : leur emploi, ainsi que celui de poussoirs et autres accessoires de sécurité, est absolument indispensable en toutes circonstances.

Ce tasseau métallique rectangulaire haut de 10 cm environ s'avère précieux lors de la refente de pièces de bois de grande longueur ; la pièce est alors appuyée contre le guide et poussée vers la lame. Ne tentez jamais d'effectuer une telle découpe, ni aucune autre d'ailleurs, à l'aide de vos seules mains ; les risques de perte de contrôle sont trop importants.

Le montage du guide parallèle est généralement détaillé dans le livret d'instructions du fabricant. Il peut être positionné parallèlement à la lame sur toute sa longueur, ou bien légèrement biaisé vers l'extérieur en aval de celle-ci. Cette dernière disposition facilite le dégagement de la pièce travaillée et du rebut après la découpe ; un parfait alignement du guide n'est indispensable qu'en amont de la lame.

Le guide d'onglet est supporté par une languette qui coulisse le long de fentes ménagées de part et d'autre de l'ouverture de la lame. Le guide maintient les pièces de bois pour les découpes transversales et peut être positionnée à un angle quelconque par rapport à la lame. Son réglage est décrit en détails dans votre livret d'instructions. On utilise le plus souvent ce guide pour le tronçonnage, un travail pour lequel il doit être placé de façon rigoureusement perpendiculaire à l'axe de découpe.

Du fait de la faible largeur du guide, nombre de travailleurs du bois vissent sur celui-ci une planchette de bois, ce qui permet un meilleur support des pièces découpées. Il est également possible, pour le tronçonnage, de fixer un ou plusieurs guide à l'aide de serre-joints sur un support en contreplaqué qui coulisse dans les fentes du plateau. Les bords du support sont alignés sur la face avant et sur les fentes de la table ; il suffit ensuite de fixer le guide à l'angle souhaité, habituellement 90° pour la plupart des travaux ou 45° pour les découpes d'onglets.

Pour obtenir une découpe d'une précision optimale, il est nécessaire de s'assurer du parfait réglage de la lame. Celle-ci doit, dans la plupart des cas, former un angle de 90° avec la surface de la table. Pour cela, posez une équerre droite sur le plateau et actionnez le levier commandant l'inclinaison de la lame pour amener celle-ci en position adéquate. Une fois le réglage effectué, verrouillez la lame en place à l'aide du levier ou du mécanisme prévu à cet effet.

La partie délicate de cette opération consiste à réussir à appuyer l'équerre sur une portion plane de la lame. Les dents d'une lame de scie étant inclinées alternativement à droite et à gauche, il est important d'effectuer le réglage à partir du cœur de la lame et non de la denture.

Quel que soit le travail effectué, éloignez absolument vos mains de la lame. Abstenez-vous également de porter des bijoux ou des vêtements trop larges, qui pourraient être happés par les dents et vous entraîner à leur suite. Utilisez poussoirs et presseurs à peignes, tels ceux présentés ci-contre, pour guider les pièces à découper. Évitez le bois riche en nœuds morts non solidaires, susceptibles d'être projetés en arrière avec une force incroyable. La vitesse de rotation de la lame est d'environ 4 000 trs/mn ; ne l'oubliez jamais !

Ci-dessus : Une petite équerre métallique est l'instrument idéal pour ajuster un guide de coupe parallèle.

Le retour d'éclats est un des dangers potentiels de cette machine. Aussi, évitez de vous placer directement derrière la lame ; les éclats de bois sont projetés avec une telle force qu'ils pourraient aisément se ficher dans le mur du fond de votre atelier.

Vous réduirez grandement ce phénomène en ajustant la lame de manière à ce qu'elle dépasse nettement du nu de la pièce découpée ; ceci est particulièrement vrai lorsque vous travaillez sur du bois de faible épaisseur.

Prenez toutes les précautions possibles : utilisez toujours l'ensemble des guides et accessoires de protection fournis avec la machine.

Il existe de nombreux types de lame pour scie circulaire sur table. Optez, au début, pour une lame universelle de 40 dents par pouce. Ces lames garantissent une découpe sans à-coups et conviennent à la fois à la refente et au tronçonnage.

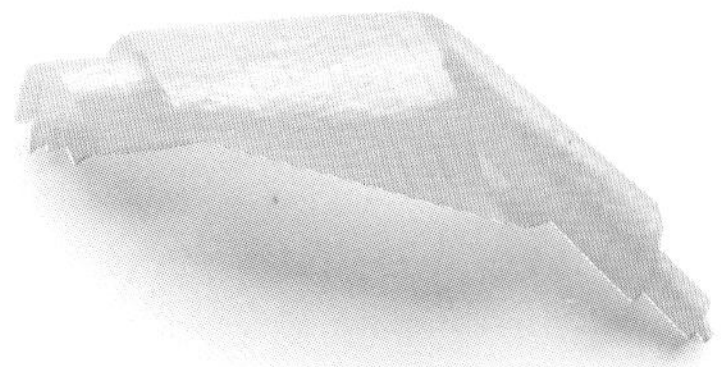

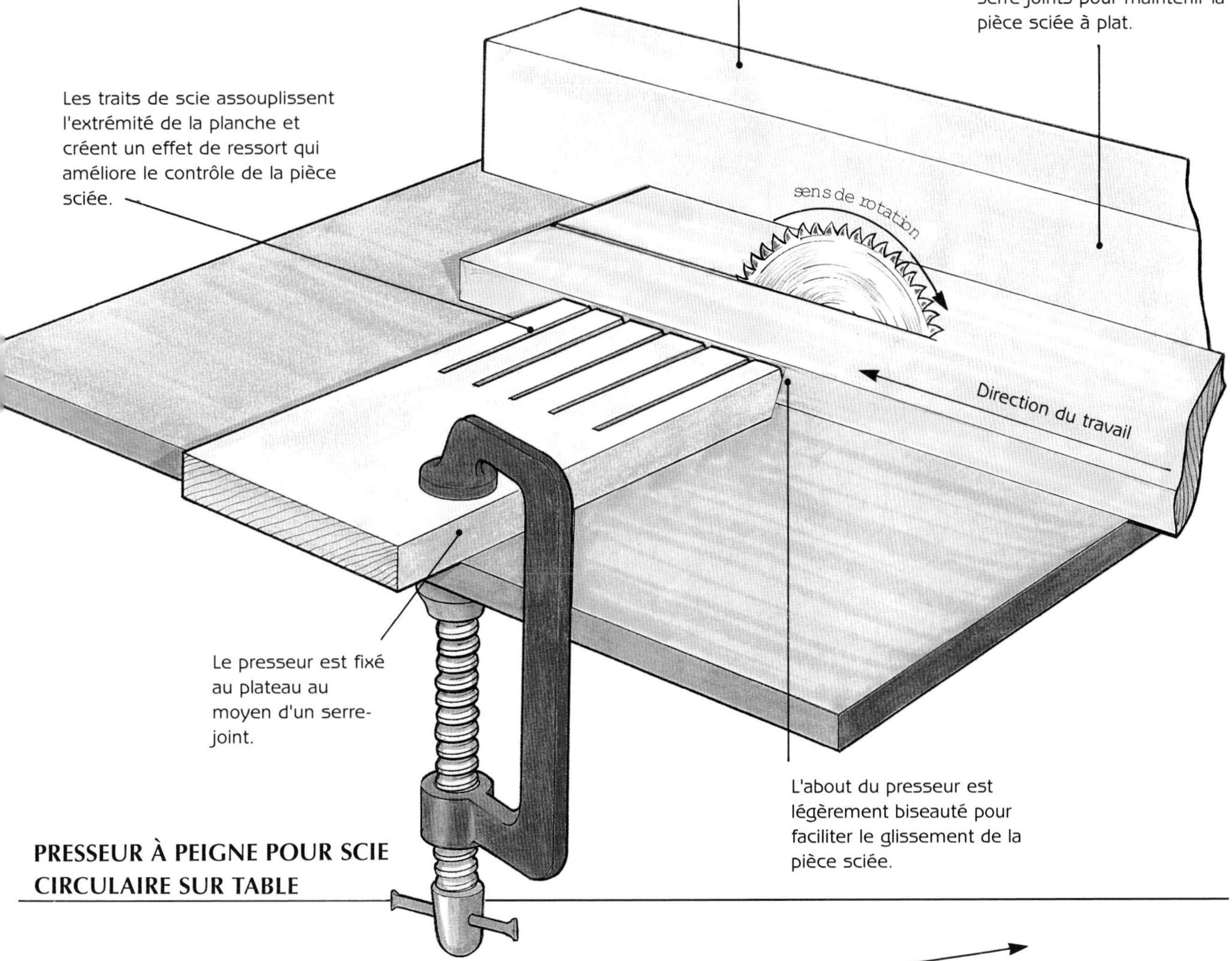

Les traits de scie assouplissent l'extrémité de la planche et créent un effet de ressort qui améliore le contrôle de la pièce sciée.

Le presseur est fixé au plateau au moyen d'un serre-joint.

PRESSEUR À PEIGNE POUR SCIE CIRCULAIRE SUR TABLE

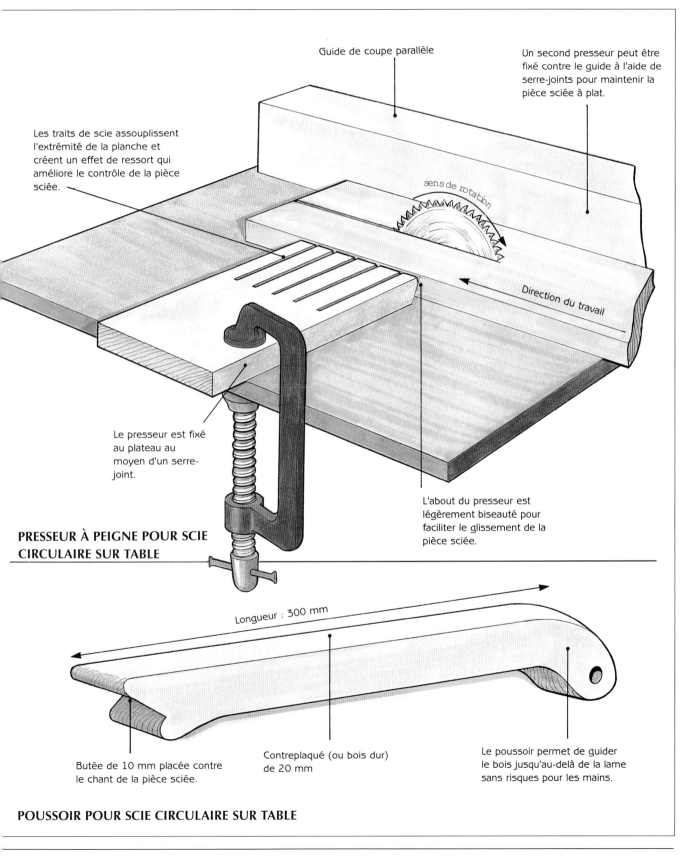

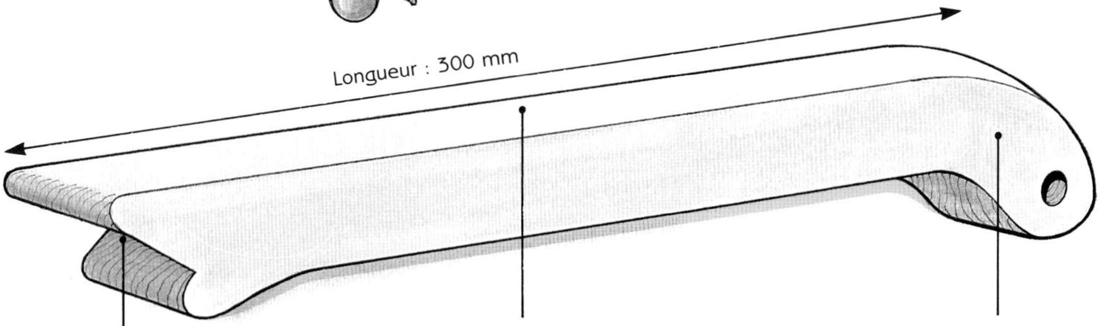

Longueur : 300 mm
Butée de 10 mm placée contre le chant de la pièce sciée.
Contreplaqué (ou bois dur) de 20 mm
Le poussoir permet de guider le bois jusqu'au-delà de la lame sans risques pour les mains.

POUSSOIR POUR SCIE CIRCULAIRE SUR TABLE

La dégauchisseuse

De toutes les machines-outils du travailleur du bois non professionnel, c'est sans doute la plus dangereuse. Sa grande précision est cependant d'un grand secours, notamment pour le dressage des faces de référence, à partir desquelles s'effectuent le dimensionnement et le façonnage de nombreux composants de meuble.

La plupart des dégauchisseuses se présentent sous la forme de deux tables encadrant un arbre de coupe, lui-même couplé à un moteur électrique par le biais d'une courroie. Sur certaines machines, il est possible de modifier la hauteur des deux tables par rapport à l'arbre de coupe. Sur d'autres, seule la table d'entrée est mobile ; la table qui supporte la pièce de bois en aval de la découpe, appelée table de sortie, reste fixe.

Pour obtenir des découpes parfaitement précises, il est impératif que la table de sortie affleure exactement au même plan que les fers de l'arbre de coupe. Si la table de sortie de la machine est fixe, il faut aligner les tranchants des fers sur celle-ci avant de commencer à travailler. Au besoin, consultez le livret d'instructions fourni par le fabricant. Prenez la peine d'effectuer ce réglage préliminaire ; vous gagnerez du temps par la suite.

Sur la plupart des dégauchisseuses non professionnelles, la profondeur de coupe se règle en abaissant ou en rehaussant la table d'entrée. Ces machines sont capables de découpes relativement épaisses, mais c'est un mode d'utilisation que je vous déconseille ; plusieurs rabotages successifs de 2 ou 3 mm feront beaucoup plus pour la précision et le fini des surfaces.

De même que la scie circulaire su table, la dégauchisseuse est le plus sou vent utilisée pour des découpes à angl droit. Pour ce faire, réglez le guide d coupe parallèle à l'aide d'une équerr métallique – comme vous l'avez fa pour la lame de la scie circulaire – e ayant soin de prendre la table d'entré comme surface de référence.

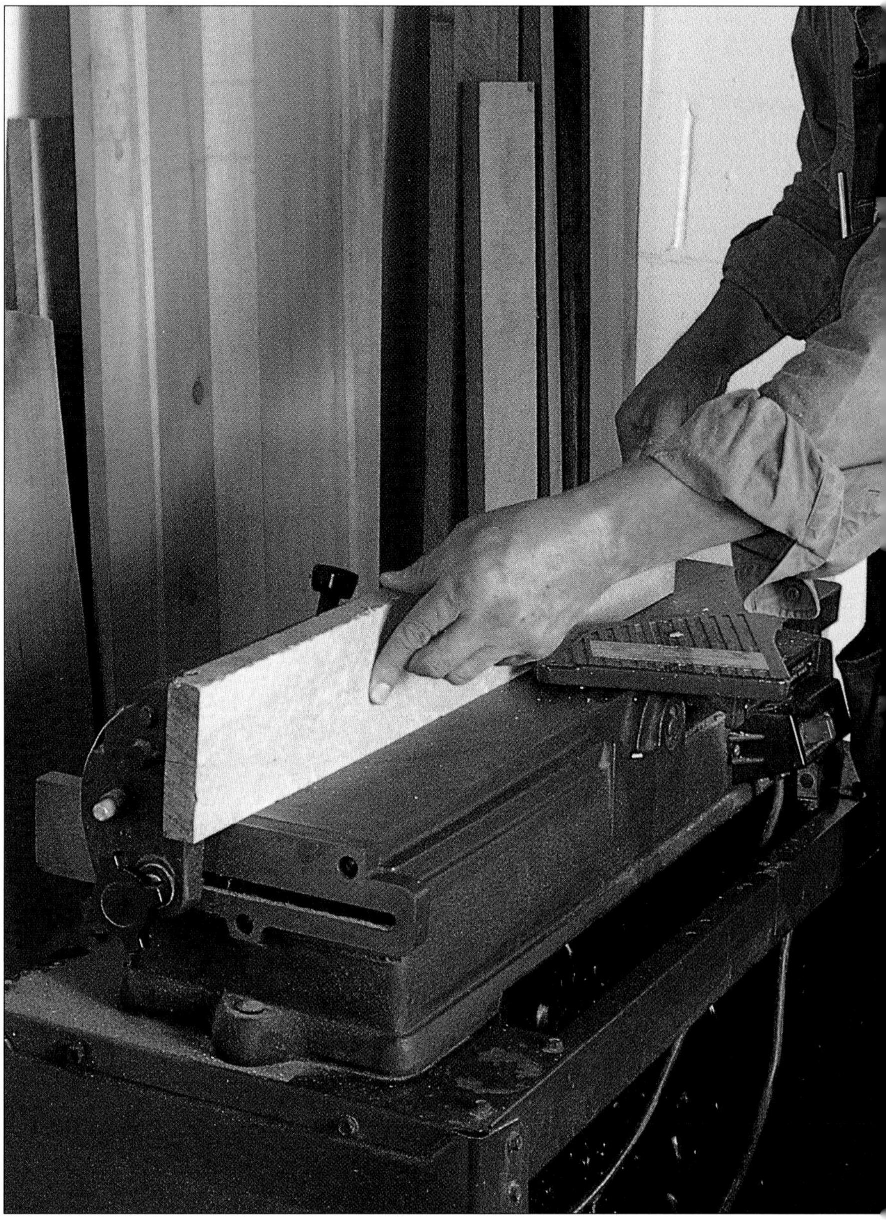

Ci-dessus : Pour dresser à l'équerre le chant d'une planche, maintenez fermement la face de référence contre le guide latéral puis faites glisser la pièce de bois au dessus des fers de la machine. À mesure de la découpe, plaquez la partie rabotée de la planche sur la table de sortie avec la main gauche.

Ci-dessus : Vérification de l'équerrage du chant à l'aide d'une équerre doite.

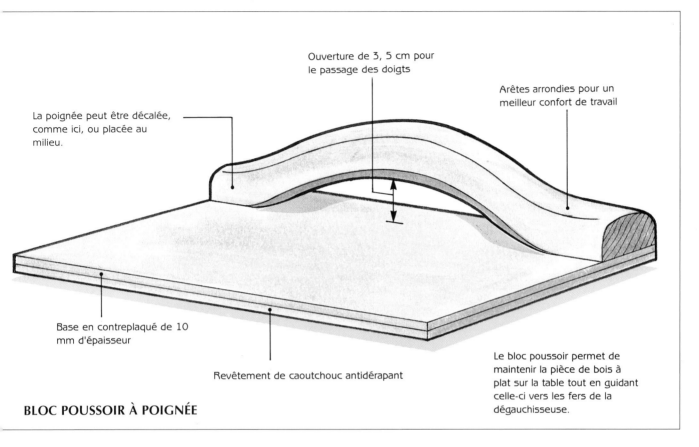

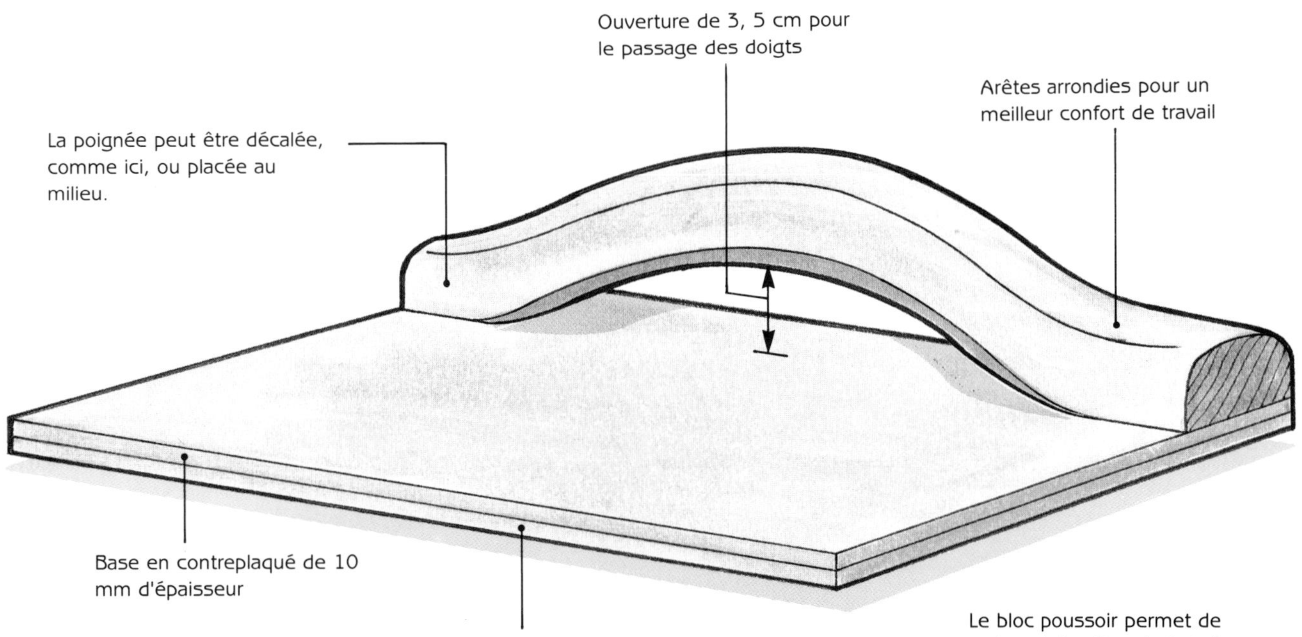

Le bloc poussoir permet de maintenir la pièce de bois à plat sur la table tout en guidant celle-ci vers les fers de la dégauchisseuse.

BLOC POUSSOIR À POIGNÉE

Après réglage du guide, il vous faura un peu de pratique pour parvenir à resser avec précision les chants d'une lanche, opération couramment pratiuée sur cette machine.

Placez le chant travaillé sur la table 'entrée et la face dressée de la planche ontre le guide parallèle, puis poussez a pièce vers l'arbre de coupe. Après épassement de l'arbre de coupe, naintenez la partie rabotée de la main auche sur la table de sortie. Aidezous de vos deux mains pour conduire a pièce travaillée ; une fois celle-ci ien établie sur la table de sortie, efforez-vous de poursuivre l'opération en n mouvement lent et régulier.

Travaillez toujours dans le sens du l. Si le bois se déchire ou éclate durant e processus, cela signifi qu'il vous faut hanger de direction. Retournez alors a planche et recommencez. Procédez ar passes légères et successives jusu'à obtenir une découpe continue sur toute la longueur du chant. Vérifiez l'angle de découpe à l'aide d'une équerre métallique ; après quelque temps, cette opération ne sera plus nécessaire, mais elle vous évitera, au début, bien des déboires.

Pour dresser un chant de forme concave, j'effectue généralement quelques passes partielles pour araser les deux extrémités, puis je continue selon la méthode habituelle. Certains préfèrent travailler un chant de profil convexe et aplanir, dans un premier temps, sa partie centrale. Quelle que soit votre méthode, évitez absolument de raboter les chants d'une planche de largeur inférieure à 10 cm sans vous aider d'un poussoir.

On utilise également la dégauchisseuse pour dresser les faces d'une pièce de bois. Une machine d'une largeur de travail de 15 cm permet de traiter la plupart des planches. La technique employée est la même que pour le rabotage sur chant, à ceci près que la largeur du rebut découpé oblige ici à un travail plus lent. Arasez d'abord les points hauts, puis faites plusieurs passes complètes. Après avoir aplani l'une des faces, vous pouvez terminer le travail à l'aide d'une raboteuse. Posez alors la pièce de bois face dressée vers le bas sur la table de la machine.

Utilisez toujours, pour ce travail, un bâton poussoir ou un bloc poussoir à poignée. Ce dernier accessoire est un simple morceau de contreplaqué doté d'une poignée et doublé, sur la face travaillante, d'une couche de caoutchouc antidérapant. Ce matériau assure une accroche suffisante sur le bois pour vous permettre de guider la découpe en plaçant le bloc à plat sur la planche. Pour ma part, j'utilise le plus souvent deux de ces ustensiles afin que mes mains restent constamment éloignées des fers de la machine. Quoi qu'il en soit, ne tentez jamais de guider l'arrière de la planche à l'aide de vos seuls doigts.

11. PRÉPARATION DU BOIS DE DÉBIT

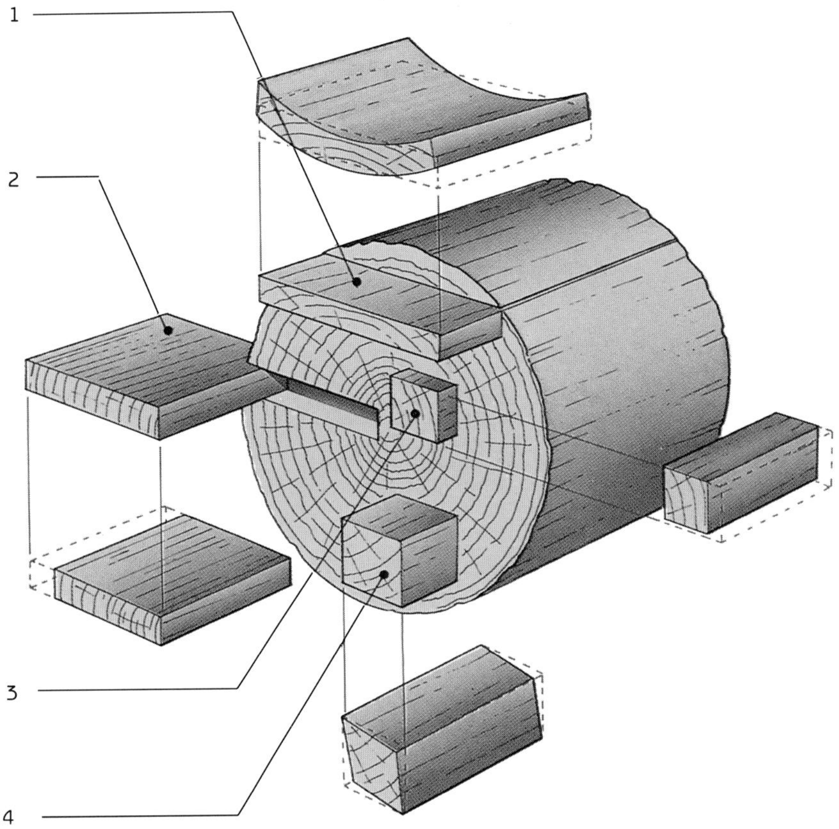

Ci-dessus : 1. Les planches larges rétrécissent plus en largeur qu'en longueur ou en épaisseur ; elles s'incurvent selon une direction opposée à celle du cœur de l'arbre. 2. Les planches dont les cernes de croissance sont perpendiculaires aux faces sont moins sujettes aux déformations. 3. Ici aussi, les cernes perpendiculaires aux faces sont un gage de stabilité. 4. Les poutres traversées par des cernes en diagonale prennent souvent une forme rhomboïdale.

Convertir une pile de bois brut fendu et gauchi en pièces de bois immédiatement utilisables pour la fabrication de meubles s'avérera souvent au-dessus de vos forces, particulièrement si vous travaillez seul et ne disposez pas d'un arsenal complet de machines-outils.

Bien qu'indispensable, ce travail de dégrossissage entre peu dans la qualité finale des objets réalisés. Il n'y aucune honte à acheter du bois dressé sur deux ou quatre faces, ou à payer un supplément à votre fournisseur pour qu'il exécute cette tâche à votre place. Lorsque l'on fait une omelette, on ne songe pas une seconde à fabriquer le lait et les œufs !

La plupart des travaux de menuiserie exigent l'emploi de pièces de bois relativement exempte de défauts, aux faces planes, aux chants rectilignes et perpendiculaires à celles-ci, et au angles droits. La majorité des planche proposées sur le marché ont une lon gueur voisine de 2, 50 m, ce qu convient amplement à la réalisation d la grande majorité des projets. Il es cependant inutile de dresser les face d'une planche de cette dimensio lorsque l'élément le plus long d meuble que vous construisez mesur moins de 1 m.

J'ai l'habitude, pour ma part, de tronçonner grossièrement les planches en éléments légèrement plus longs que les pièces à façonner. Cette méthode, outre qu'elle facilite la préparation du bois de débit, permet d'en éliminer les principaux défauts et taches. Les bois exempts de nœuds et parfaitement clairs sont rares et très onéreux ; de plus, ils n'ont souvent pas le charme des essences plus ordinaires.

Assurez-vous toujours, avant de commencer les opérations de dressage, que la pièce de bois choisie est plus longue que l'élément à façonner. Vous éviterez ainsi d'avoir à recommencer le travail. Souvenez-vous que pour être certain de n'avoir à faire qu'une découpe, il vaut mieux mesurer deux fois qu'une. Une marge de 10 à 15% sera, à vos débuts, parfaitement adéquate. Abstenez-vous également d'utiliser les cinq centimètres situés à chaque extrémité des planches ; ces portions sont la plupart du temps fendues et couvertes de terre. Réservez-les à votre stock de chutes et travaillez sur un bois sain.

Évitez de tailler des portions de planche trop courtes, qui se révèlent dangereuses à travailler sur certaines machines-outils. Le dressage d'une pièce de longueur inférieure à 40 cm présente toujours des risques. Sur certaines dégauchisseuses, en raison de la position de l'arbre de coupe et de celle des roulements qui conduisent le bois, il est impossible de travailler des pièces de faible longueur. Aussi, si vous devez tailler un élément d'environ 15 cm de long, il est préférable de dresser une planche de 50 cm puis de tronçonner ensuite celle-ci à longueur.

Après avoir découpé une portion de planche, la première étape de la préparation consiste à en aplanir une des faces. Celle-ci sera la face de référence à partir de laquelle vous allez dimensionnez l'élément de mobilier. Effectuez ce dressage à la dégauchisseuse, ainsi qu'expliqué plus haut, ou à l'aide d'un rabot.

Pour ce faire, fixez la pièce travaillée sur le plateau de l'établi, face choisie vers le haut, et commencez à araser les points hauts. À mesure de votre travail, servez-vous de l'une des longueurs de la semelle pour vérifier la planéité de la planche.

À droite : Piles de bois à l'intérieur d'une grande étuve. L'opérateur choisit une planche au milieu de la pile pour en tester le degré d'humidité. Ces planches de faible largeur ont probablement subi un premier séchage avant d'être taillées à cette dimension.

Ci-dessous à gauche : La faible hauteur des lames d'air séparant les plateaux de bois évite les déformations dues à des vitesses de séchage différentes entre la surface et le centre de la pile.

Ci-dessous : Empilage de plateaux de grandes dimensions pour un séchage à l'air ; le bois séché en étuve doit également être empilé de la sorte.

Ci-dessus : Dressage des faces d'une pièce de bois à l'aide d'une raboteuse.

Pour ma part, j'élimine souvent les points hauts à l'aide un rabot à main avant de poursuivre le travail sur ma dégauchisseuse. Cette méthode prend autant de temps qu'un travail intégral à la machine mais elle offre l'avantage de conserver intacte mon habileté au rabotage manuel.

Deux lattes de bois identiques, traversées d'une ligne verticale en leur milieu, vous permettront de déceler les creux et les bosses d'une surface travaillée. Placez l'une des lattes sur une extrémité de la planche, et l'autre parallèlement et un peu plus loin sur celle-ci. En comparant l'inclinaison des traits verticaux sur les deux lattes, il vous sera possible de repérer les inégalités.

Après avoir aplani l'une des faces de la planche, dressez-en un des chants en procédant comme indiqué au chapitre 9. Assurez-vous, durant cette opération, que la face de référence reste bien appuyée contre le guide latéral. Vous avez maintenant une face et un chant plans, formant entre eux un angle parfaitement droit.

Le dressage du chant opposé peut être obtenu en découpant la pièce de bois à largeur à partir du chant de référence au moyen d'une scie circulaire sur table. Ayez soin, pour cela, de placer la face de référence contre le plateau de la table, et de bien plaquer le chant de référence contre le guide latéral après avoir réglé celui-ci à la cote souhaitée. Ceci fait, dressez la deuxième face à l'aide d'une dégauchisseuse ou d'un rabot à main. Dans ce dernier cas, la méthode la plus sûre consiste à tracer au trusquin une ligne périphérique sur les chants de la planche, pour faire apparaître les surfaces à araser.

Pour dresser la face d'une planche à la main, utilisez d'abord un riflard, dont le fer au tranchant arrondi permet un dégrossissage rapide en travers des fibres. Continuez à l'aide d'une demi-varlope, puis terminez le travail au rabot à replanir.

Lorsque je le peux, je dresse la seconde face à la dégauchisseuse, puis retourne la planche pour effectuer une passe sur la face rabotée à la main afin d'en éliminer les possibles irrégularités. Si vous êtres un as du dressage au rabot, ce dernier stade ne sera pas nécessaire ; les traces éventuelles laissées par l'outil pourront être retirées plus tard au moyen d'une cale à poncer.

Ci-dessus : Dressage de la face d'une planche au rabot.

Deuxième partie :
PROJETS À RÉALISER

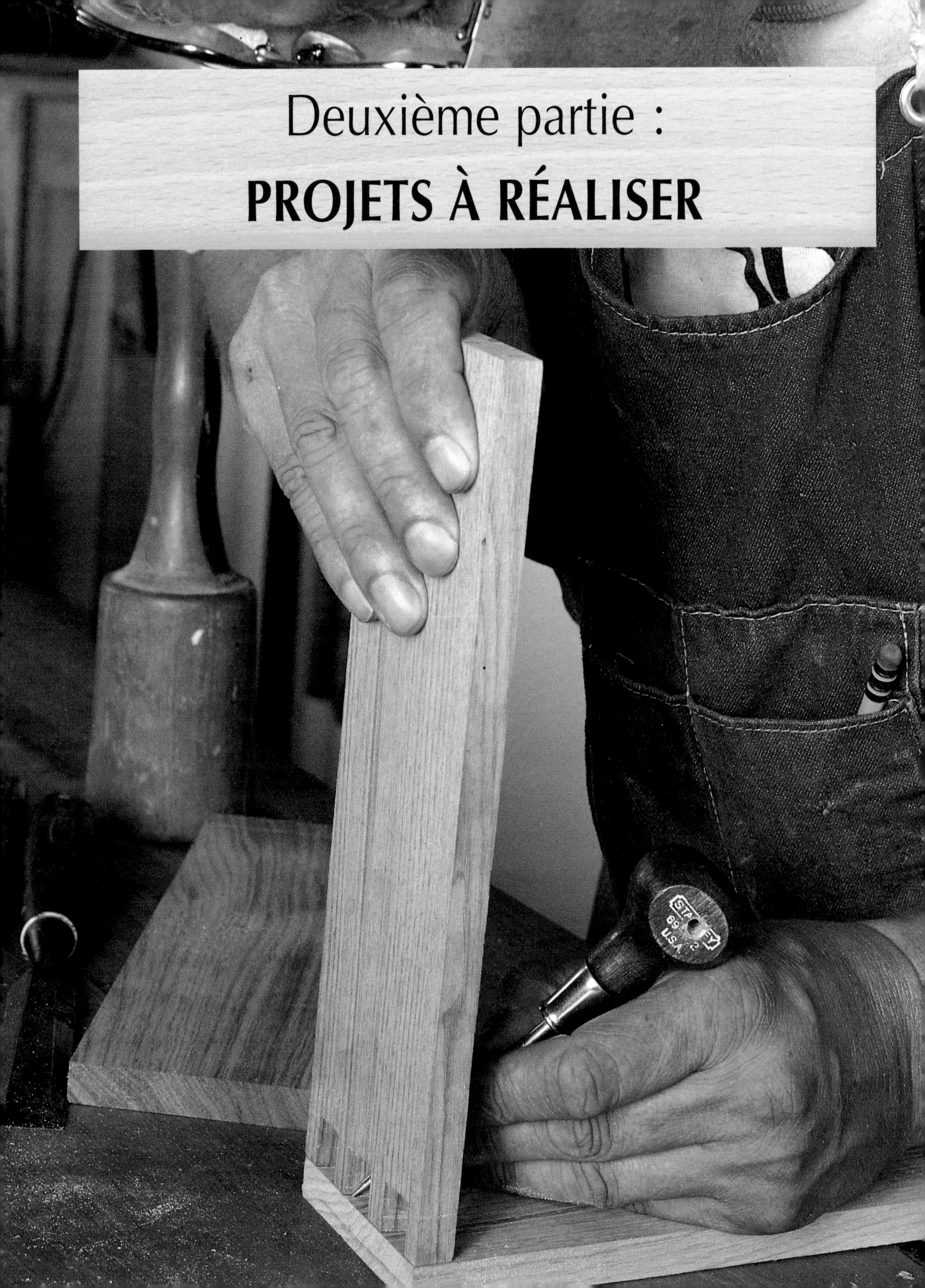

L'art de l'assemblage consiste à réunir plusieurs pièces de bois pour donner naissance à des objets solides, pratiques et agréables à l'œil. La plupart des techniques d'assemblage sont pratiquées par les travailleurs du bois depuis des générations ; certaines sont utilisées pour résoudre des problèmes très spécifiques, d'autres, plus polyvalentes, conviennent à presque toutes les applications.

Lorsque vous commencerez à maîtriser les assemblages, attachez-vous à comparer leur solidité respective. Pourquoi un assemblage à tenon et mortaise est-il plus résistant qu'un assemblage à tourillons ? Quelles sont, pour chacun d'eux, les dimensions des surfaces encollées ? Les surfaces en contact présentent-elles un fil en long, gage d'un collage très solide, ou bien l'une d'entre elles est-elle du bois de bout, peu propice à l'encollage ? Certains éléments, tels épaulements ou fausses languettes, ajoutent-ils de la force à l'ensemble ?

Pensez également aux assemblages lorsque vous observez un meuble, et essayez de deviner lesquels ont été utilisés. Les découpes visibles, telles celles d'un assemblage à queues d'aronde, apportent-elles une valeur esthétique ? Était-ce une volonté délibérée de l'artisan ?

Un même assemblage peut être réalisé selon plusieurs méthodes, à l'aide d'outils à main ou électriques, ou bien d'une combinaison des deux. Choisissez celle qui vous semble la mieux adaptée et faites-en l'essai sur des chutes avant de risquer le bon bois réservé à votre projet. Chaque nouvel assemblage enrichira vos connaissances, même s'il vous semble que toute votre habileté et toute votre patience sont nécessaires à sa construction. Ne vous découragez pas. Avant longtemps, l'objet de votre inquiétude sera le degré de perfection, et non votre éventuelle aptitude à mener à son terme le travail entrepris.

Les assemblages sont présentés par le biais de plusieurs projets, qui constituent des exemples type de leur utilisation. Les dimensions indiquées sont approximatives ; elles n'ont qu'une valeur indicative pour vous permettre de conserver de bonnes proportions. N'hésitez pas à adapter les objets présentés à vos besoins ; souvenez-vous simplement que chaque assemblage répond à un usage précis, et que les découpes doivent être réalisées avec soin afin que les pièces s'ajustent parfaitement. Un emboîtement qui ne peut être effectué sans l'aide d'un maillet est le signe que quelque chose ne va pas ; en poursuivant, vous risquez de briser l'un des composants ou de construire un objet qui se démantèlera sous peu. C'est un gant de velours qui est ici nécessaire.

Aucun effort particulier n'a été fait pour présenter les assemblages par ordre croissant de difficulté. Nombre des premières réalisations vous sembleront sans doute faciles, car basées sur le maniement de scies et ciseaux, outils qui vous sont probablement déjà familiers. En fait, même les assemblages les plus compliqués peuvent être effectués à l'aide de ces seules techniques.

PRÉPARATION DES COMPOSANTS

- En menuiserie comme en informatique, on ne peut faire du bon travail à partir de données de mauvaise qualité. Il est tentant de prendre une pile de belles planches à la scierie et de commencer à tracer et découper des assemblages, sans se soucier de détails tels que l'équerrage des chants ou la planéité des surfaces, ou s'interroger sur la bonne tenue des nœuds... J'ai commis ces erreurs plusieurs fois et m'en suis toujours mordu les doigts.

- Prenez le temps de dresser les pièces de bois et d'en établir les faces de référence. Placez les composants du plus bel aspect aux endroits les plus visibles, et assurez-vous que le fil du bois est orienté comme vous le souhaitez.

- Effectuez toutes les opérations avec la plus grande précision. Assurez-vous, par exemple, qu'un guide parallèle ou un guide d'onglet ont conservé leur réglage depuis votre dernier travail.

- Effectuer des découpes d'assemblage dans des pièces de bois non corroyées est une véritable corvée. Tentez de les réunir et la corvée se transformera rapidement en cauchemar.

- Plusieurs heures de dur labeur vous seront nécessaires pour rectifier les erreurs, et le résultat ne sera, de toute façon, jamais satisfaisant. Apportez un soin particulier aux détails, et réalisez ceux-ci correctement dès la première fois.

1. BIBLIOTHÈQUE

Une bibliothèque est un bon projet pour débutants. Construit à partir de bois peu onéreux, et donc d'un faible investissement, un ensemble d'étagères et toujours utile dans la maison. La plupart de ces meubles sont de conception simple et peuvent être réalisés au moyen d'assemblages élémentaires.

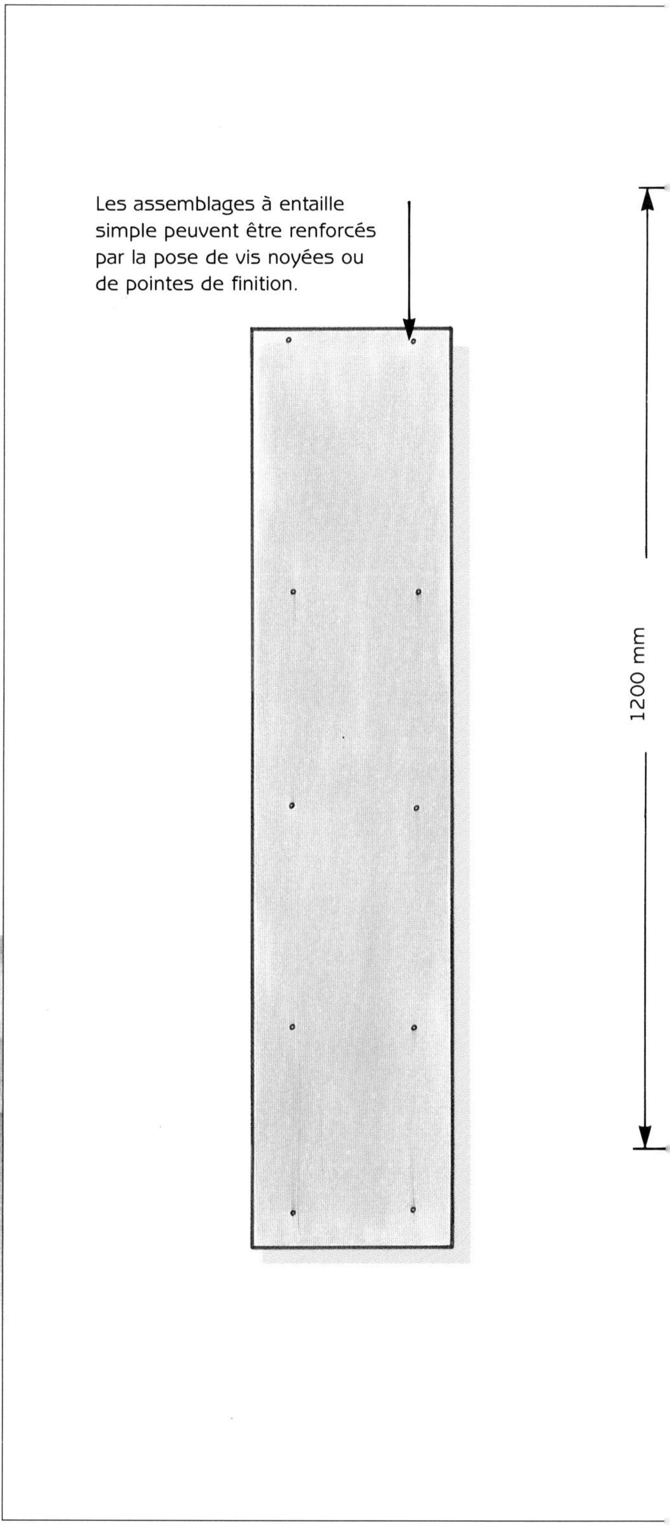
Les assemblages à entaille simple peuvent être renforcés par la pose de vis noyées ou de pointes de finition.
1200 mm

ENTAILLES

Les assemblages à entaille simple se rencontrent souvent sur les bibliothèques et les carcasses de meubles. D'ordinaire, cet assemblage permet de lier un composant horizontal à un support vertical, mais on l'utilise également pour fixer des cloisons verticales intermédiaires sur une grande étagère.

L'entaille est une rainure à fond rectangulaire découpée transversalement dans le montant vertical. Sa largeur doit correspondre à l'épaisseur de l'élément horizontal, lequel est le plus souvent assemblé de façon perpendiculaire.

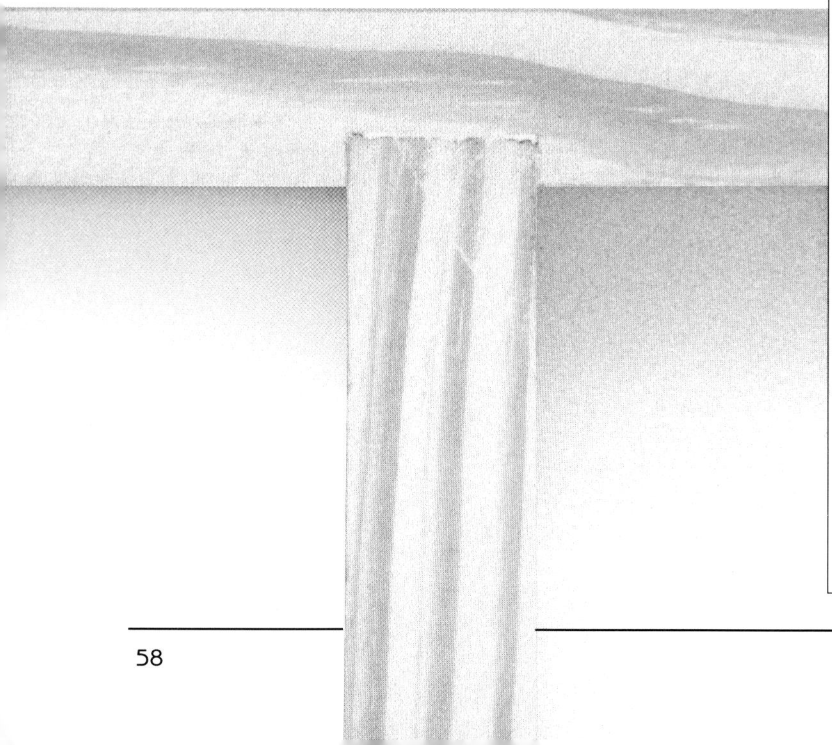

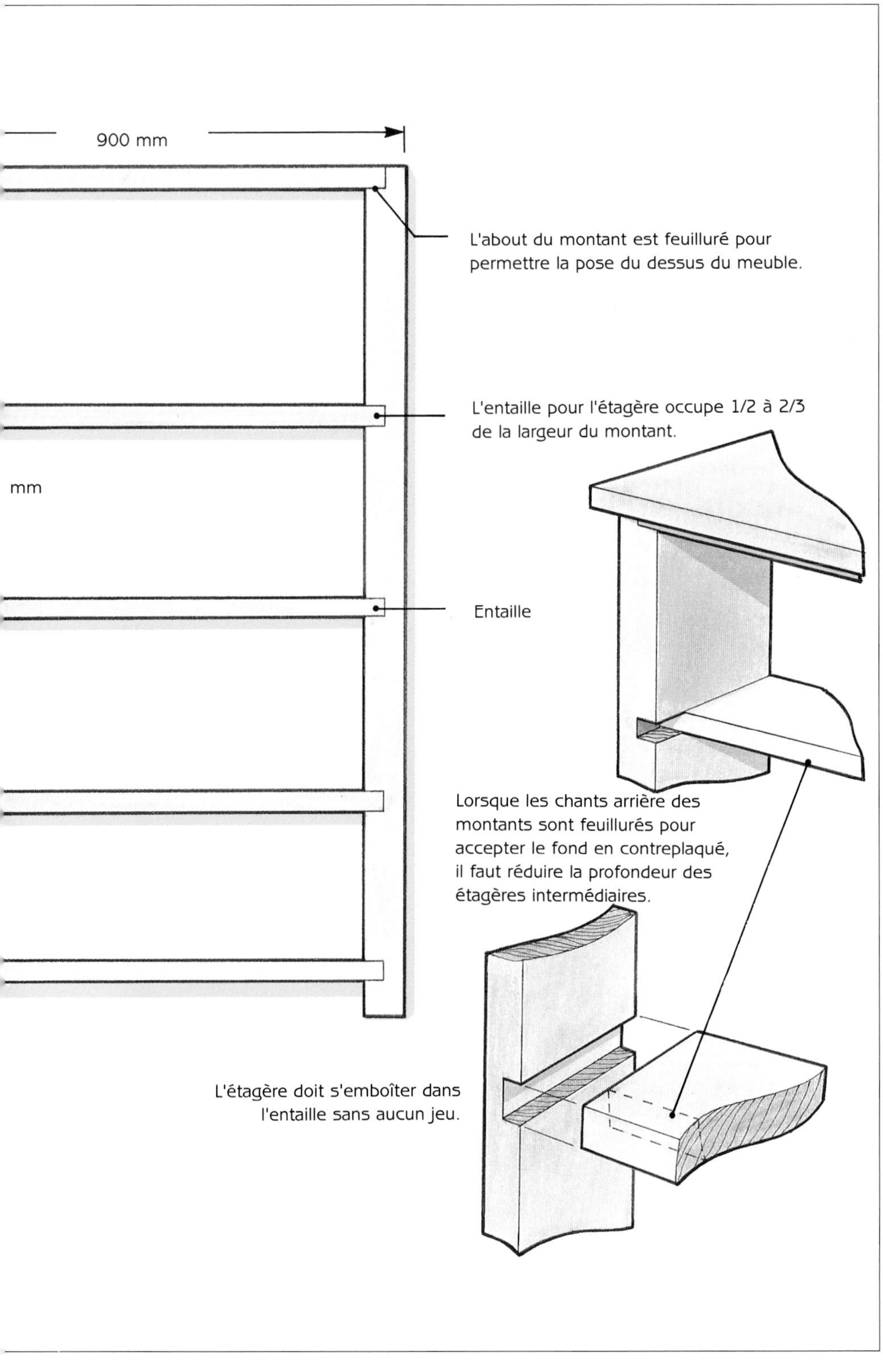

900 mm
mm
L'about du montant est feuilluré pour permettre la pose du dessus du meuble.
L'entaille pour l'étagère occupe 1/2 à 2/3 de la largeur du montant.
Entaille
Lorsque les chants arrière des montants sont feuillurés pour accepter le fond en contreplaqué, il faut réduire la profondeur des étagères intermédiaires.
L'étagère doit s'emboîter dans l'entaille sans aucun jeu.

L'entaille nécessaire à l'emboîtement d'une étagère de 19 mm affaiblit considérablement le montant, mais ce défaut est corrigé lorsque l'étagère est collée en place. Dans la plupart des utilisations, l'effort portera du haut vers le bas ; les contraintes exercées sur l'étagère seront absorbées par la paroi inférieure de l'entaille.

Puisqu'elle doit accepter l'épaisseur de l'étagère, l'entaille du montant est toujours d'une largeur supérieure à celle de la lame d'une scie standard. Son façonnage peut être effectué par passes successives d'une lame de scie mécanique, à l'aide d'une défonceuse équipée d'une fraise droite, ou bien manuellement, à la scie et au ciseau à bois.

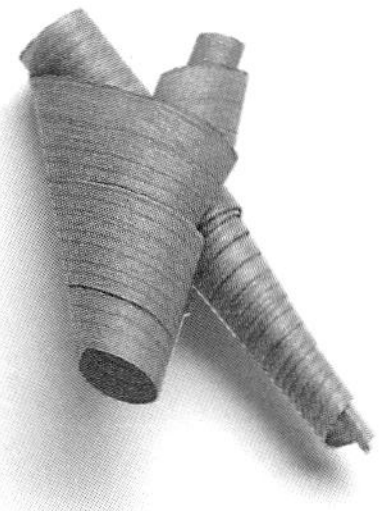

Découpe d'une entaille à l'aide d'outils manuels

Cette procédure ne pose, en soi, guère de problèmes, mais elle s'avère longue et fastidieuse lorsque la largeur de la pièce travaillée excède 5 cm.

1. Tracez d'abord les lignes de sciage en travers du montant à l'aide d'une équerre droite métallique. La distance entre les deux traits doit correspondre à l'épaisseur de l'étagère à emboîter dans l'entaille. Marquez la profondeur de l'entaille sur l'un des chants du montant à l'aide d'un trusquin. Celle-ci représente généralement 1/2 à 2/3 de l'épaisseur de la pièce. Répétez l'opération sur le chant opposé afin que le fond de l'entaille soit bien parallèle à la face de la pièce de bois. Pour faciliter la découpe, repassez les traits à l'aide d'un couteau de traçage, puis creusez légèrement le bois au ciseau, côté bois de chute, pour guider la lame de la scie.

2. Sciez au droit des lignes du traçage en ayant soin, à chaque fois, de placer la scie à la limite extérieure du trait côté bois de chute (ici, vers l'intérieur de l'entaille). Le sciage peut être effectué à main levée ou à l'aide d'un tasseau de guidage fixé le long de la ligne de coupe. Cette dernière méthode permet une découpe parfaitement perpendiculaire à la face de la planche.

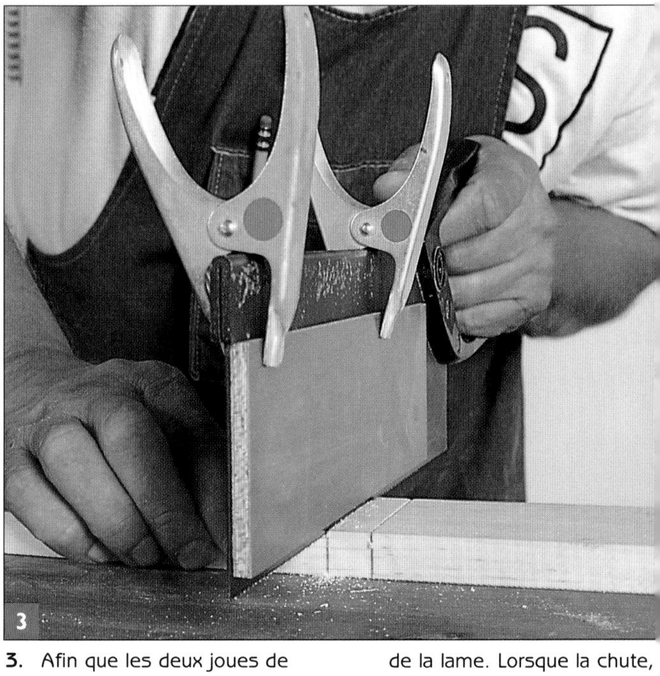

3. Afin que les deux joues de l'entaille soient strictement de même profondeur, fixez une planchette de chute à l'aide de presses sur le côté de la lame. Lorsque la chute, placée à la cote souhaitée, vient en butée sur la surface de la planche, l'action de la lame est stoppée.

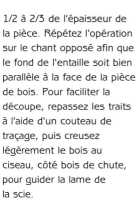

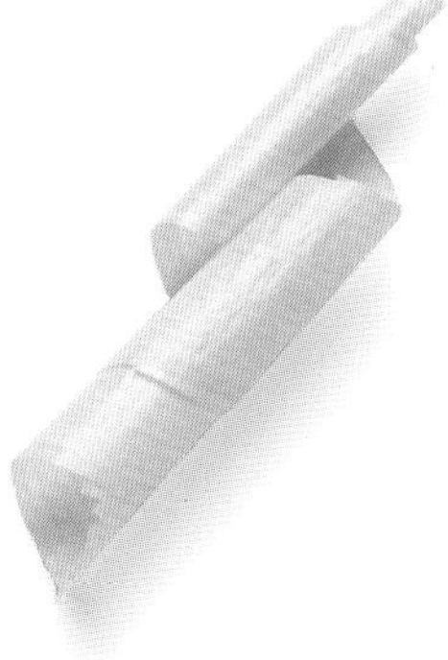

Retirez le rebut entre les deux traits de scie à l'aide d'un ciseau à bois. En plaçant le biseau de l'outil contre la surface travaillée, vous obtiendrez un meilleur contrôle et éviterez que la lame ne s'enfonce trop profondément dans le bois.

4

5

Lorsque vous aurez retiré le plus gros du rebut, aplanissez le fond de l'entaille à l'aide d'un ciseau à dresser. Travaillez cette fois biseau vers le haut, en faisant glisser la face inférieure de l'outil sur la surface ; les petites irrégularités seront ainsi découpées par le tranchant.

6

Insérez une première fois la pièce transversale dans l'entaille. Les deux éléments doivent s'emboîter étroitement sans qu'il soit nécessaire d'imprimer une force excessive. Vous aurez peut-être à poncer légèrement les joues de l'entaille pour faciliter l'opération.

Autres méthodes

Il est courant aujourd'hui de réaliser les entailles à l'aide d'une scie circulaire sur table. On utilise pour cela une tête à rainer, composée de deux lames de scie circulaire encadrant plusieurs couteaux intermédiaires et de cales permettant d'ajuster la largeur de découpe. Une fois l'ensemble monté sur la scie, l'entaille peut être façonnée en une seule passe. Si vous n'avez que quelques entailles à découper, vous pouvez éliminer le rebut par passes successives avec une scie sur table équipée d'une lame standard. Dressez ensuite le fond de l'entaille au ciseau. L'emploi d'une défonceuse équipée d'une fraise droite donne aussi de bons résultats.

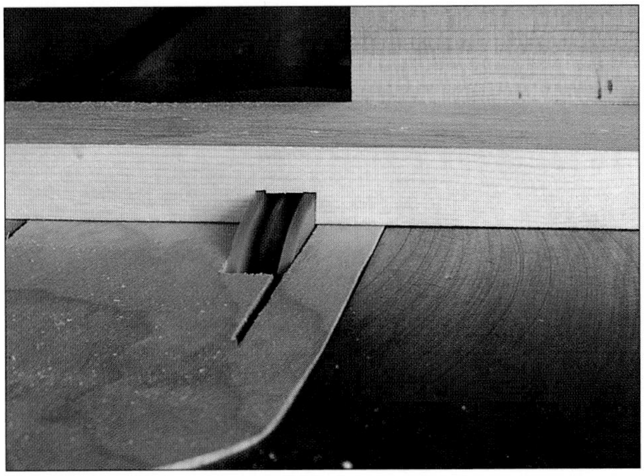

FEUILLURE

Les assemblages à feuillure sont basés sur une découpe simple : un retrait partiel le long d'un des chants d'une pièce de bois. Ils sont particulièrement utiles pour l'ajustage et la fixation d'un fond en contreplaqué sur une bibliothèque ou tout autre meuble de forme simple. Ce montage permet de s'assurer que les composants du meuble sont bien perpendiculaires entre eux. On peut également utiliser les feuillures pour l'assemblage d'un tiroir ou le montage du dessus d'une bibliothèque (voir illustration p. 59). Les assemblages à feuillure sont collés et parfois renforcés à l'aide de vis ou de pointes fines.

On façonne généralement les feuillures à l'aide d'une scie circulaire sur table, soit par passes successives d'une lame standard, soit, quand elles sont de grande largeur, au moyen d'une tête à rainer. J'opte le plus souvent pour la première solution et utilise, à cet effet, une lame à denture universelle.

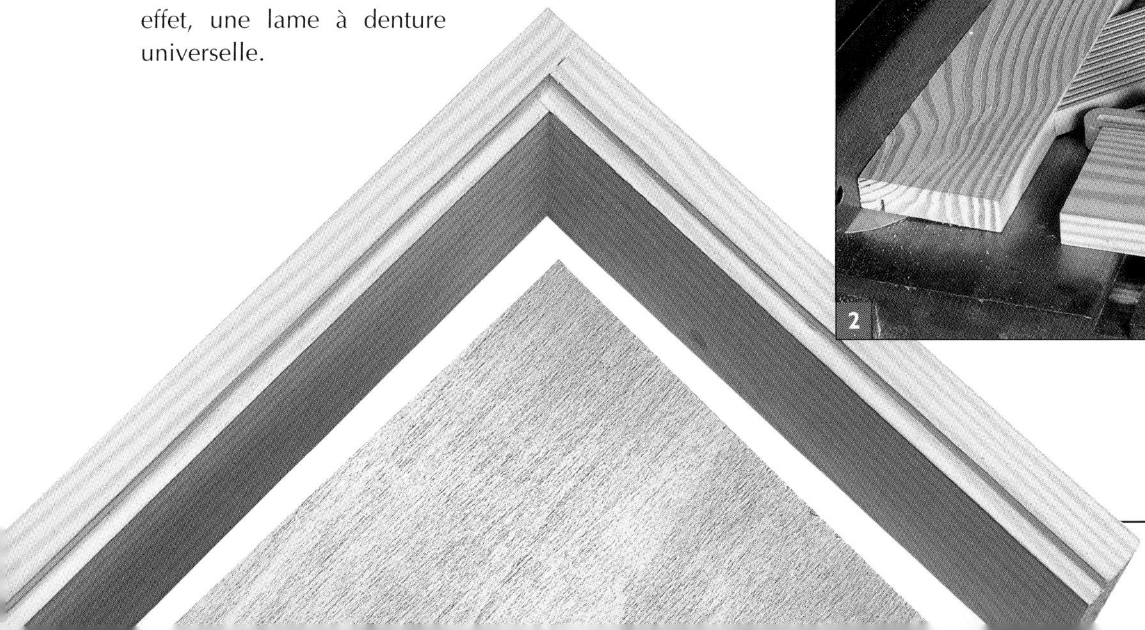

1. Réglez la largeur de la feuillure en ajustant la distance entre le guide latéral et la face extérieure de la lame, puis effectuez une première découpe dans la longueur de la planche. La hauteur de la lame détermine la profondeur de coupe.

1

2. Ne prenez pas de risques inutiles : utilisez poussoirs et presseurs à peigne pour guider la planche durant la découpe. N'approchez jamais vos doigts de la lame.

2

3

3. Après avoir modifié, si nécessaire, la hauteur de la lame et la position du guide latéral, effectuez une deuxième découpe, cette fois sur le chant de la pièce. Pour ne pas risquer d'entraver sa course, placez la pièce de manière à ce que le bois de chute soit situé à l'opposé du guide latéral. Par précaution, évitez de vous tenir directement derrière la lame durant les découpes ; vous serez ainsi à l'abri d'une éventuelle projection d'éclats.

Autres méthodes

Les fabricants proposent, pour le façonnage des feuillures, des rabots spécialisés équipés d'un fer spécifique et d'un guide latéral. Ces outils, appelés feuillerets, sont généralement onéreux ; au nom du rendement, on leur préfère souvent la défonceuse.

Le travail peut être réalisé à l'aide d'une fraise à pilote ou d'une fraise droite ; dans ce dernier cas, on guide la découpe à l'aide d'un tasseau fixé sur la pièce travaillée.

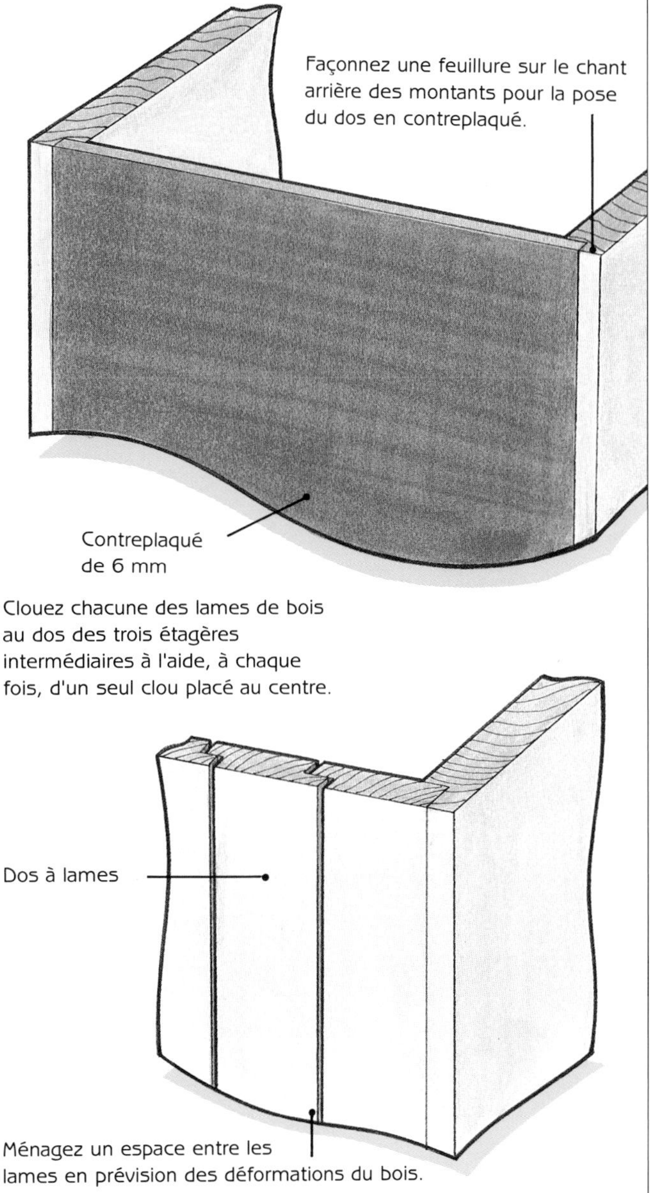

Façonnez une feuillure sur le chant arrière des montants pour la pose du dos en contreplaqué.
Contreplaqué de 6 mm
Clouez chacune des lames de bois au dos des trois étagères intermédiaires à l'aide, à chaque fois, d'un seul clou placé au centre.
Dos à lames
Ménagez un espace entre les lames en prévision des déformations du bois.

DIFFÉRENTS DOS

POSE D'ÉLÉMENTS DÉCORATIFS SUR UNE BIBLIOTHÈQUE

- Si vous construisez un ensemble d'étagères pour votre atelier ou votre garage, il vous importe sans doute peu que les assemblages soient apparents et le meuble peu esthétique. Pourtant, quelques modifications très simples suffiront à le rendre plus agréable à l'œil.
- Vous pouvez masquer par exemple les assemblages en plaçant une alaise moulurée sur la face avant des montants. Ou encore façonner des entailles arrêtées : en stoppant la découpe environ 15 mm en arrière de la face du montant, vous rendrez la jonction des pièces presque invisible.
- Une autre solution, plus radicale, consiste à doter le meuble d'une corniche avec retombée et d'un soubassement à bord chanfreiné.

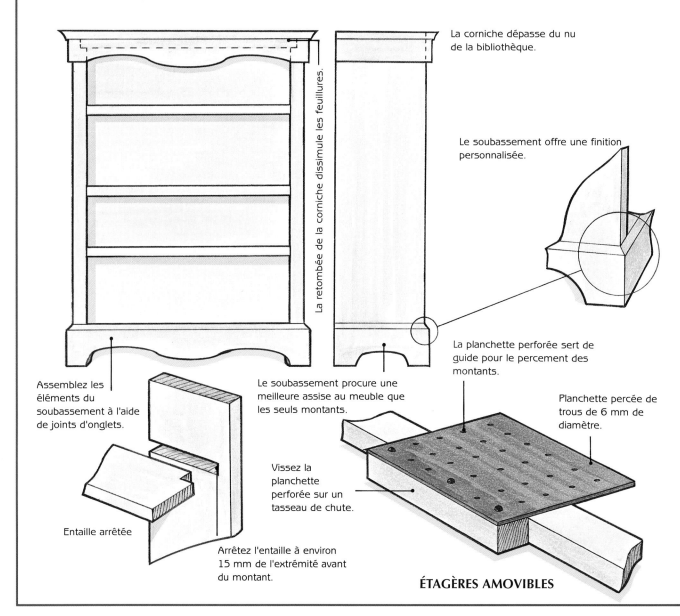

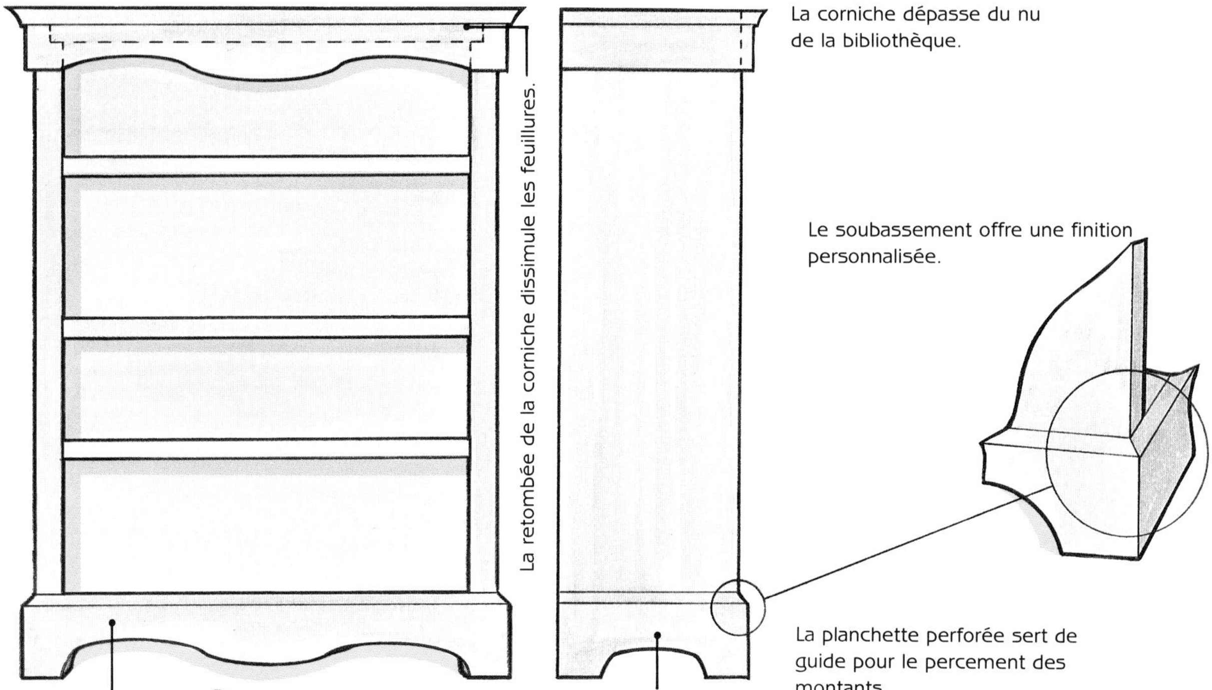
La retombée de la corniche dissimule les feuillures.
La corniche dépasse du nu de la bibliothèque.
Le soubassement offre une finition personnalisée.
Assemblez les éléments du soubassement à l'aide de joints d'onglets.
Le soubassement procure une meilleure assise au meuble que les seuls montants.

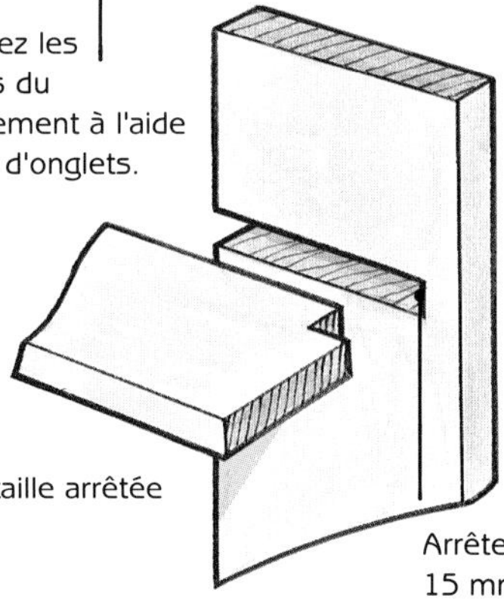
Entaille arrêtée
Arrêtez l'entaille à environ 15 mm de l'extrémité avant du montant.

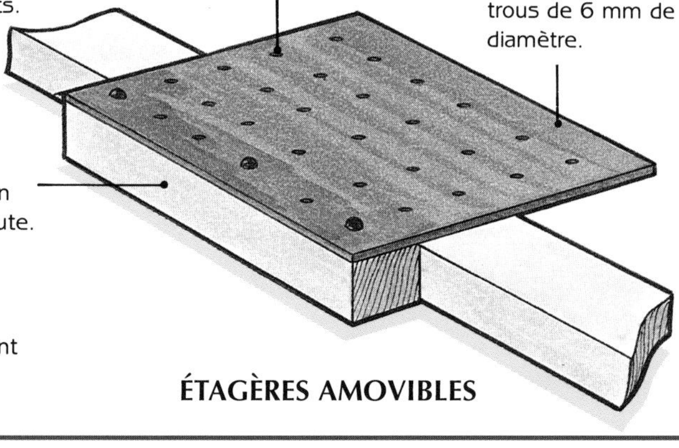
La planchette perforée sert de guide pour le percement des montants.
Planchette percée de trous de 6 mm de diamètre.
Vissez la planchette perforée sur un tasseau de chute.

ÉTAGÈRES AMOVIBLES

ᒿ. ENCADREMENTS

a découpe d'onglets est l'une des méthodes 'assemblage les plus couramment utilisées our le façonnage de portes de placard, de essus de meubles et chaque fois que l'on ouhaite assembler deux éléments à angle roit sans que le bois de bout n'apparaisse. aute d'éléments emboîtés, l'assemblage à lat-joint d'onglet est peu solide ; aussi mieux aut éviter de l'employer pour des éléments tructurels. Il peut cependant être renforcé à aide d'un tourillon ou d'une fausse languette.

a plupart des cadres sont ssemblés à plat-joint d'onlet aux quatre angles ; en ariant l'angle des découpes, ous pouvez créer, par le ıême type d'assemblage, n encadrement d'un nomre de côtés quelconque, ar exemple de forme octoonale.

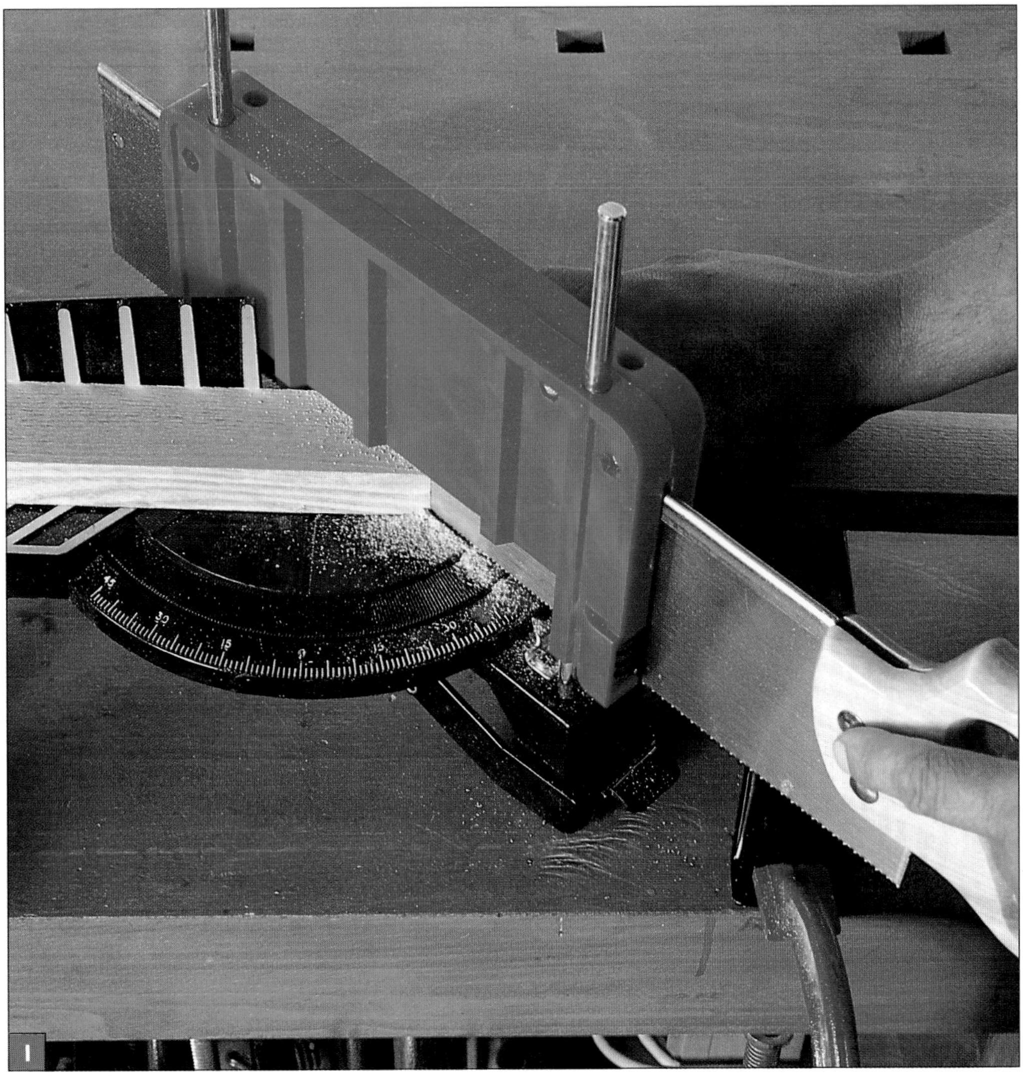

. Fixez une boîte à onglets sur le plateau de l'établi. Vous pouvez la réaliser vous-même ou vous procurer un des nombreux modèles, réglables ou non, en vente dans le commerce. La boîte à onglet présentée ici peut être ajustée pour une découpe jusqu'à un angle de 45° de part et d'autre de la verticale.

PORTE À PANNEAU

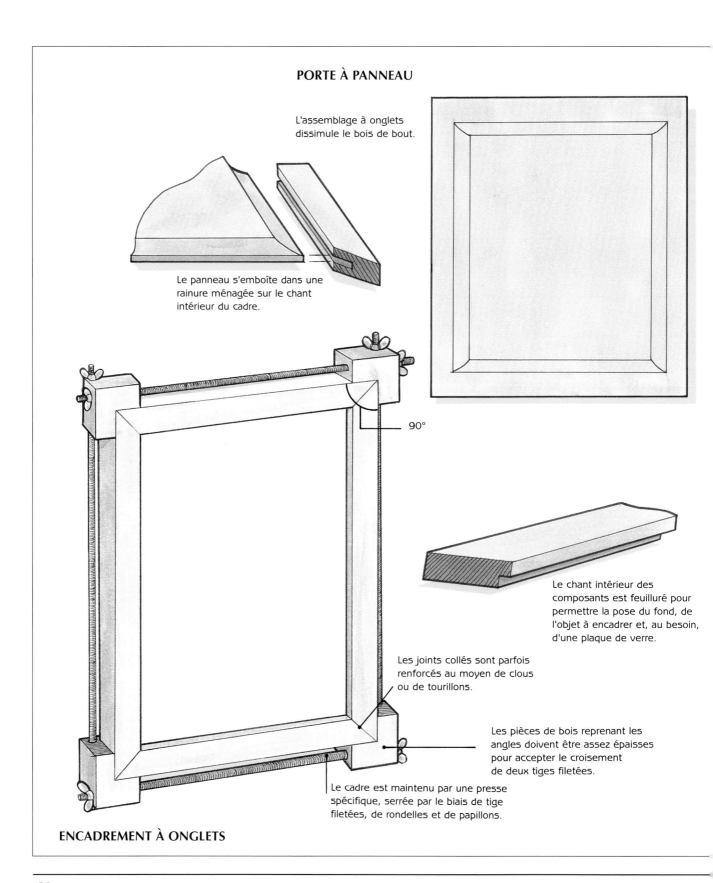

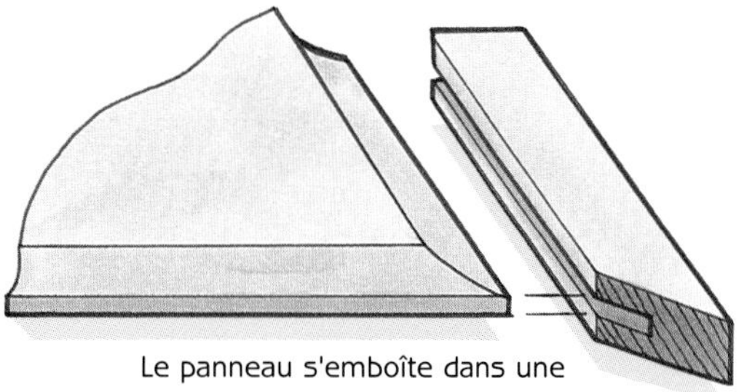

L'assemblage à onglets dissimule le bois de bout.
Le panneau s'emboîte dans une rainure ménagée sur le chant intérieur du cadre.

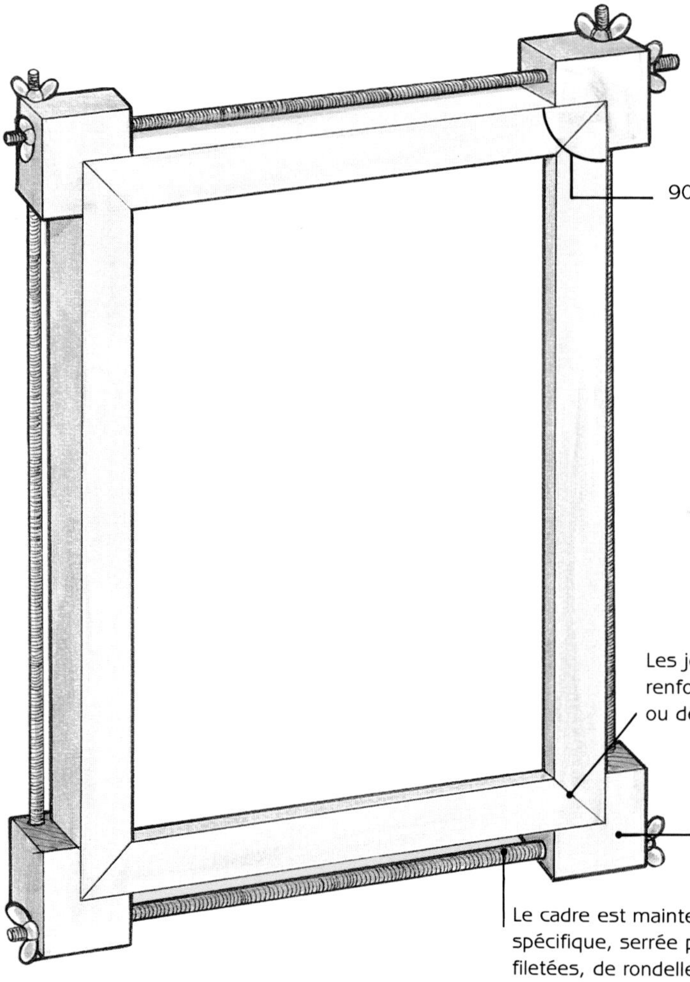

90°
Les joints collés sont parfois renforcés au moyen de clous ou de tourillons.
Les pièces de bois reprenant les angles doivent être assez épaisses pour accepter le croisement de deux tiges filetées.
Le cadre est maintenu par une presse spécifique, serrée par le biais de tige filetées, de rondelles et de papillons.

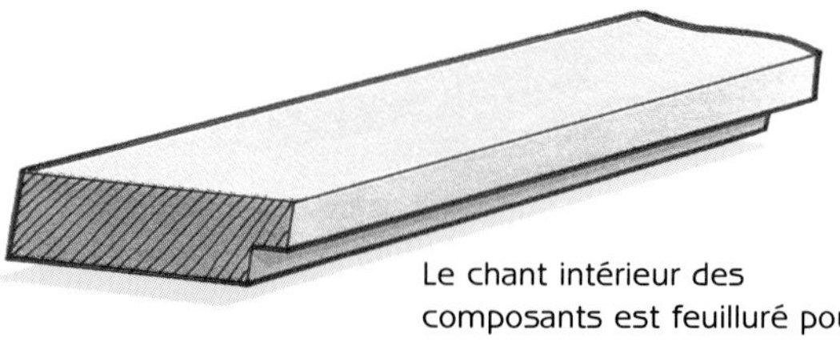

Le chant intérieur des composants est feuilluré pour permettre la pose du fond, de l'objet à encadrer et, au besoin, d'une plaque de verre.

ENCADREMENT À ONGLETS

2. Réglez la boîte à onglets à 45°, puis effectuez la première découpe. Pour le dimensionnement, souvenez-vous que l'épaisseur des traits de scie fait perdre un peu de longueur à chacun des éléments. Ajustez ensuite la boîte à 45° dans l'autre sens et découpez l'autre extrémité.

3. Les boîtes à onglets ne servent pas qu'au façonnage des pièces d'encadrement ; elles sont également très pratiques pour effectuer de façon précise une découpe transversale à angle droit.

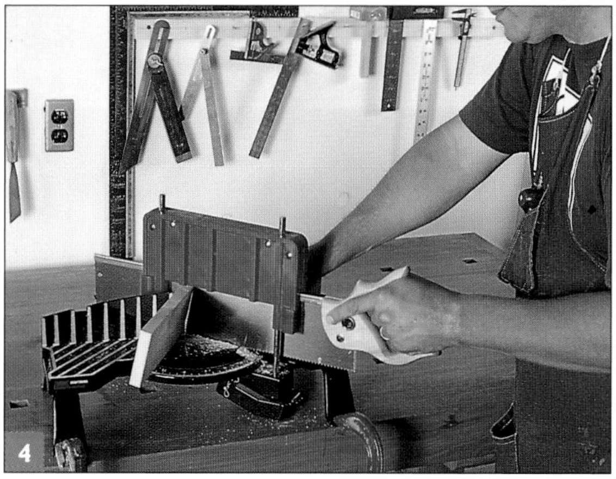

4. La boîte à onglets présentée ici peut servir à la découpe d'épaulements de tenon. Elle permet également la découpe de moulures ou de larges pièces de bois posées sur chant.

VÉRIFICATION

- Pour s'assurer qu'un cadre est parfaitement rectangulaire, comparez simplement les mesures des deux diagonales.
- Si celles-ci ne sont pas identiques, réajustez légèrement les éléments jusqu'à correction du défaut. Au besoin, dévissez pour ce faire la ou les presses qui les maintiennent en place.

3. CAISSONS SIMPLES

Les caissons en bois sont par eux-mêmes de superbes objets ; ils constituent également la base de nombreux meubles. Une commode n'est rien moins qu'un caisson de grande dimension muni de supports pour des tiroirs (lesquels sont eux-mêmes des caissons de plus petite taille !).

La façon la plus simple de construire un caisson en bois est de découper quatre éléments à longueur et de les assembler à plat-joint d'équerre à l'aide de colle, de vis et de clous. Ajoutez à l'ensemble un fond en contreplaqué, deux charnières et un couvercle, et vous obtiendrez une boîte très pratique. J'utilise moi-même plusieurs caissons construits ainsi pour le rangement de mes outils.

Cependant, ces caissons ne sont pas d'une grande élégance, et l'assemblage à plat-joint d'équerre ne compte pas parmi les plus solides. Il est parfois difficile d'aligner des chants enduits de colle lorsque vous vous efforcez de clouer ou de visser les éléments. L'assemblage à feuillure et languette, qui offre une surface encollée supérieure, et dont l'emboîtement facilite l'alignement des pièces, constitue une meilleure solution. Comme nous le verrons plus loin avec les queues d'aronde, cet emboîtement peut également avoir un intérêt esthétique.

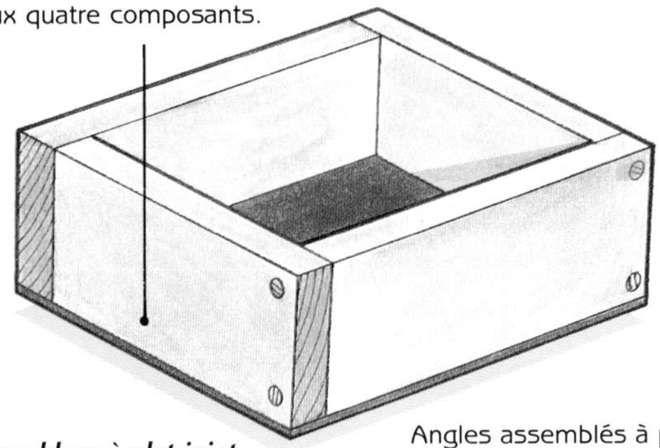

Angles assemblés à plat-joint, collés et renforcés par des vis.

Assemblage à plat-joint d'équerre

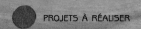

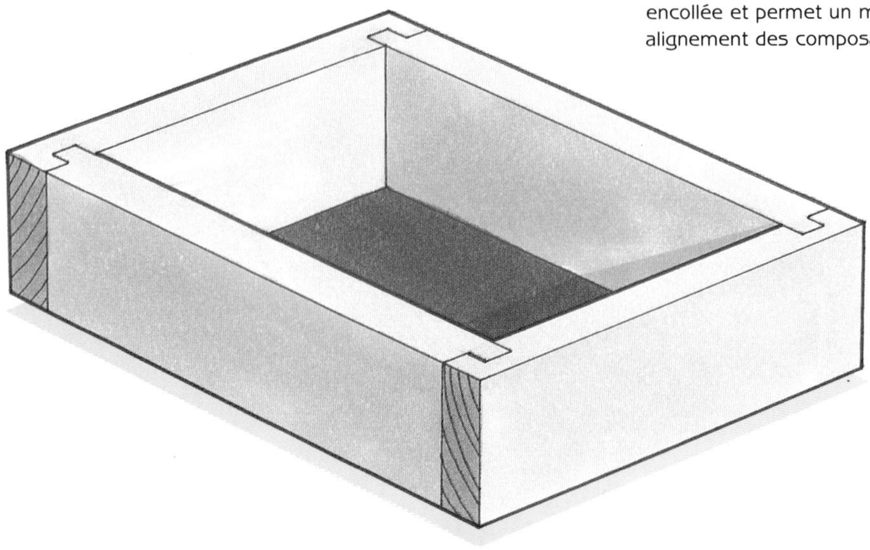

La languette accroît la surface encollée et permet un meilleur alignement des composants.

FEUILLURE ET LANGUETTE

AINURE ET LANGUETTE BÂTARDE

'assemblage à rainure et ınguette bâtarde convient ien au montage de caisons de petite taille, d'étaères et de fonds de tiroir, ù sa faculté à rigidifier les ngles droits fait merveille. es découpes peuvent être réalisées à l'aide d'outils à main – scie et ciseau – ou d'une défonceuse ; l'utilisation d'une scie circulaire sur table reste cependant la méthode la plus efficace.

1. Ajustez le guide latéral de la scie circulaire de sorte que la distance entre celui-ci et la face extérieure de la lame soit équivalente à l'épaisseur des éléments à assembler. Réglez la lame pour obtenir une hauteur de découpe équivalente à un quart ou un cinquième de cette même épaisseur. En vous aidant du guide d'onglet, placez une des pièces en butée contre le guide latéral et réalisez une découpe transversale.

. Ajustez le chant du deuxième élément contre la pièce rainurée et marquez l'épaisseur de la languette à l'aide d'un crayon bien taillé. Lorsqu'il s'agit d'un caisson de petite taille, un seul passage de lame suffit généralement au façonnage de la rainure. Pour un caisson de plus grande dimension, l'épaisseur de la languette ne doit pas être supérieure à un quart de celle de la pièce de bois.

3

3. Placez le deuxième élément sur about et contre le guide latéral, puis ajustez celui-ci de manière à effectuer une découpe transversale le long de la limite intérieure de la languette. Ne modifiez pas la hauteur de la lame. Effectuez la découpe en travers de l'about en vous aidant du guide à onglet pour présenter la pièce. Fixez, au besoin, un guide d'appoint pour augmenter la hauteur du guide latéral et aider ainsi au contrôle d'une planche de grande longueur. Vérifiez l'épaisseur de la languette et modifiez, si nécessaire, le réglage du guide latéral en conséquence.

4. Pour la découpe du rebut, placez la planche à plat sur la table, languette vers le haut. Augmentez la hauteur de lame de manière à retirer en une seule passe l'épaisseur de bois située sous la languette. Plaquez l'about de la languette contre le guide latéral et effectuez la découpe.

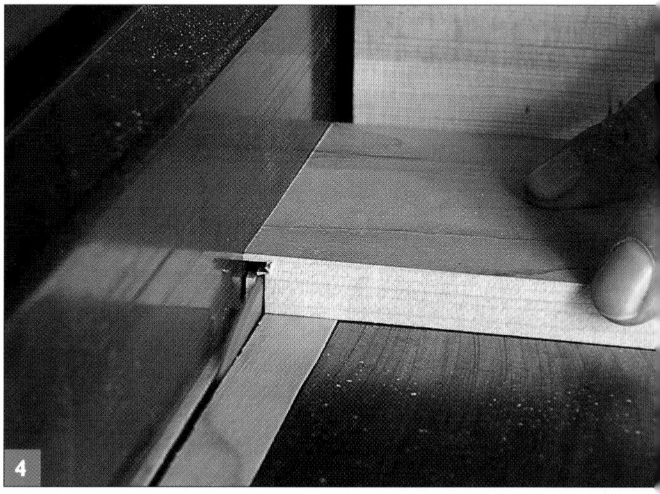

4

Variantes

L'assemblage à feuillure et languette n'est pas seulement utilisé pour réunir les éléments d'un caisson. Plus discret que l'entaille pleine épaisseur, il la remplace souvent pour le montage d'étagères.
Il est également très utile pour la pose de refends séparateurs sur une étagère de présentoir ou de bibliothèque.

5. Emboîtez la languette dans la rainure pour assembler les deux composants.

5

\SSEMBLAGE)'ONGLET À FAUSSE .ANGUETTE

imilaire à l'assemblage l'onglet à plat-joint, cet ssemblage est renforcé par a pose d'une fine pièce de ois, la fausse languette, qui ugmente la surface encol-ée et aide au bon position-nement des éléments.

Ce mode de construc-ion s'avère efficace pour le)ois comme pour le contre-laqué. Il faut cependant 'appliquer, lorsque l'on uti-ise du bois, à faire coïnci-ler la direction du fil des léments et des languettes fin d'éviter les déforma-ions. Vous n'aurez pas ce)roblème si vous utilisez du contreplaqué. L'un des nconvénients de cet assem-)lage (qui vous dissuadera)eut-être de l'utiliser) est que les quatre angles du caisson doivent être placés ous presse simultanément lès après collage.

Une scie circulaire sur able équipée d'une lame oscillante est l'outil idéal)our réaliser les découpes nécessaires.

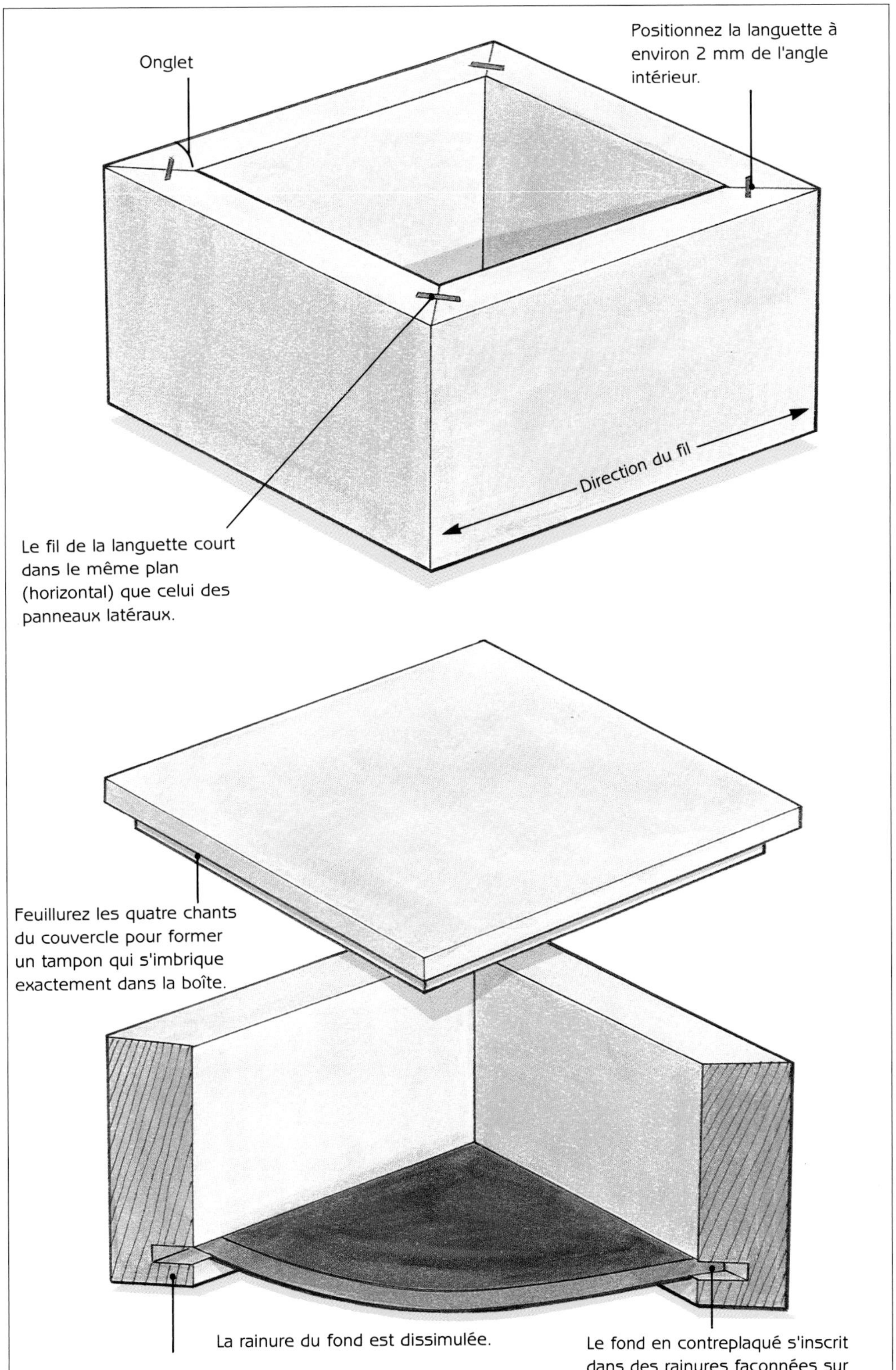

Onglet
Positionnez la languette à environ 2 mm de l'angle intérieur.
Direction du fil
Le fil de la languette court dans le même plan (horizontal) que celui des panneaux latéraux.
Feuillurez les quatre chants du couvercle pour former un tampon qui s'imbrique exactement dans la boîte.
La rainure du fond est dissimulée.
Le fond en contreplaqué s'inscrit dans des rainures façonnées sur la face intérieure des composants.

ASSEMBLAGE D'ONGLETS À FAUSSE LANGUETTE

1. Inclinez la lame à un angle de 45°. L'échelle angulaire d'une scie circulaire sur table étant souvent imprécise, effectuez de préférence cette opération à l'aide d'une équerre à 45°. J'utilise pour ma part une équerre à dessin de grande taille. Après réglage de la lame, découpez une pièce de chute en deux et aboutez les onglets obtenus pour former un angle droit. Vérifiez celui-ci à l'aide d'un petit té métallique ; s'il n'est pas rigoureusement égal à 90°, corrigez le réglage et répétez l'essai.
2. Une fois la lame correctement positionnée, découpez transversalement les extrémités des éléments à assembler. Aidez-vous, pour ce faire, du guide d'onglet.

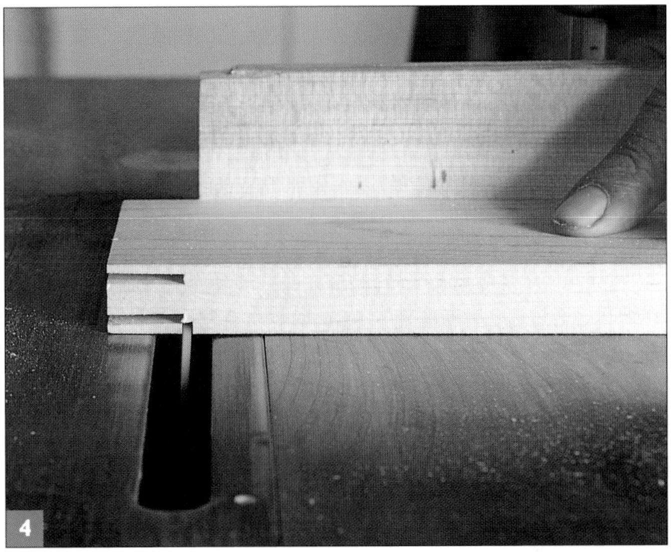

3. Après avoir découpé les onglets, procédez à la découpe des rainures pour les fausses languettes. Placez le guide latéral du côté opposé à l'inclinaison de la lame, puis abaissez celle-ci de façon à positionner la rainure à environ un cinquième de la longueur de l'onglet depuis l'angle intérieur. Ainsi, pour une pièce de 19 mm d'épaisseur, laissez environ 2 mm entre la face interne de la rainure et l'angle intérieur. Une languette de 3 mm d'épaisseur convient pour les caissons de petite dimension. Découpez la rainure en plaçant l'extrémité de l'onglet contre le guide latéral.

4. Le fil des languettes et celui des éléments à assembler doivent être orientés dans le même plan ; vous éviterez ainsi les problèmes liés à une construction à fil croisé. Découpez les languettes en deux passes, selon la méthode vue précédemment pour l'assemblage à feuillure et languette. Réalisez la première découpe dans le bois de bout pour établir épaisseur et longueur, puis complétez l'opération par une découpe transversale pour libérer la petite pièce de bois. Pour un assemblage en contreplaqué, façonnez les languettes dans le même matériau, et faites en sorte qu'elles s'emboîtent dans les rainures sans aucun jeu.

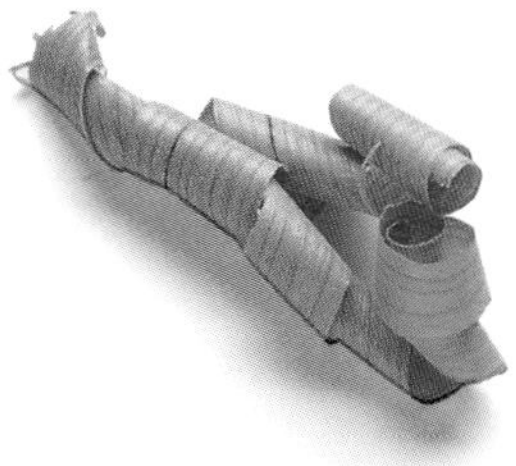

5. Maintenez les éléments assemblés à l'aide de serre-joints ou de presses spécifiques, jusqu'au séchage complet de la colle.

ASSEMBLAGE À QUEUES D'ARONDE

Construire un assemblage à queues d'aronde, c'est un peu comme monter à bicyclette : la première fois, cela semble impossible, mais après quelque temps, on le réalise sans même y penser. Bien qu'il ne compte sûrement pas parmi les plus faciles, l'assemblage à queues d'aronde mérite à coup sûr d'être appris. Il a été longtemps considéré comme la preuve d'une suprême habileté. Quoiqu'il en soit, une fois l'aspect technique maîtrisé, le processus s'avère des plus relaxants.

Il existe plusieurs sortes d'assemblages à queue d'aronde, parmi lesquels l'assemblage à queues d'aronde apparentes, que nous allons voir plus en détail. Il se caractérise par l'alternance de queues et de tenons visible sur chacun des éléments, de part et d'autre de l'arête angulaire. Les queues sont généralement deux fois plus larges que les tenons.

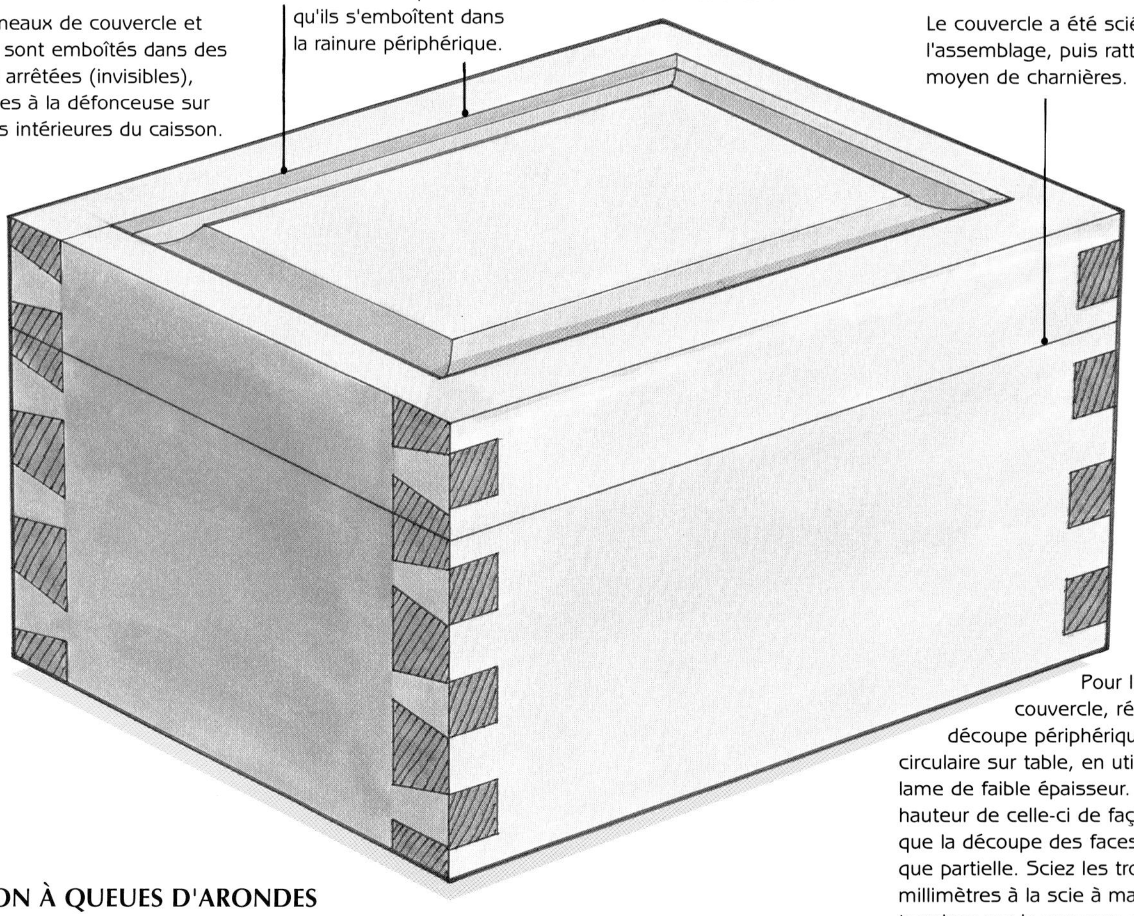

Les panneaux de couvercle et de fond sont emboîtés dans des rainures arrêtées (invisibles), façonnées à la défonceuse sur les faces intérieures du caisson.
Les bords du panneau de couvercle sont moulurés afin qu'ils s'emboîtent dans la rainure périphérique.
Le couvercle a été scié après l'assemblage, puis rattaché au moyen de charnières.
Pour libérer le couvercle, réalisez une découpe périphérique à la scie circulaire sur table, en utilisant une lame de faible épaisseur. Réglez la hauteur de celle-ci de façon à ce que la découpe des faces ne soit que partielle. Sciez les trois derniers millimètres à la scie à main puis terminez par le ponçage des chants.

CAISSON À QUEUES D'ARONDES

1. Après avoir découpé les éléments à dimension et vérifié que leurs chants sont bien perpendiculaires aux faces, tracez sur ceux-ci les lignes d'épaulement à l'aide d'un trusquin. Placez la pointe de l'instrument à une distance de la semelle équivalente à l'épaisseur des pièces de bois plus 0,5 mm. Cette longueur supplémentaire facilite l'assemblage et peut être aisément poncée à la fin du travail. Prolongez le trait sur les quatre faces de la pièce travaillée.

2. Effectuez le traçage de l'assemblage sur le bois de bout. Certains tracent d'abord les tenons, d'autres préfèrent débuter par les queues d'aronde. J'opte, pour ma part, pour la première option. L'espacement entre les tenons est fonction de la largeur de la pièce de bois ; leur nombre peut être variable et dépend de vos goûts personnels. Pour débuter le traçage, placez le talon d'une fausse équerre en butée contre la face de la planche et marquez l'un des tenons d'extrémité, ou demi-tenon, à l'aide de la lame orientée à l'angle souhaité. Les demi-tenons n'ont qu'une seule pente, mais ils sont de même largeur que les tenons.

3. Pour vous aider à visualiser la différence dans le traçage des tenons et des queues sur le bois de bout des deux éléments à assembler, souvenez-vous que celui des queues s'effectue à l'aide d'une équerre droite (ci-dessus), et que celui des tenons nécessite l'emploi d'une fausse équerre. Les tenons sont régulièrement espacés, et leur face la plus large orientée vers l'intérieur du caisson.

4. Après avoir effectué le traçage des tenons sur le bois de bout, prolongez les traits sur les deux faces de la planche à l'aide d'une équerre droite, jusqu'à la ligne d'épaulement précédemment marquée au trusquin. Après quelque temps et un peu de pratique, vous serez à même d'effectuer cette opération sans l'aide de l'équerre.

5. Il est toujours difficile, pour un débutant, de mémoriser les portions de bois à éliminer sur chacune des planches. Pour plus de sûreté, marquez celles-ci au feutre sur l'about et les deux faces.

6. Commencez la découpe des tenons le long des lignes tracées sur le bois de bout à l'aide d'une scie à dos ou d'une scie à queues d'aronde. Servez-vous du dos de votre pouce pour guider la lame et la maintenir sur la limite extérieure du trait côté bois de chute. Continuez la découpe en prenant garde de ne pas dépasser la ligne d'épaulement.

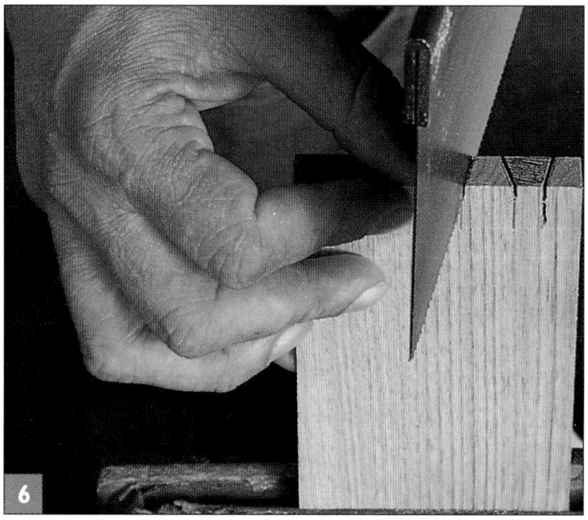

7. Après avoir découpé les joues des tenons, il vous reste à retirer le rebut à l'aide d'un ciseau à bois et d'un maillet. Pour ce faire, placez la pièce travaillée sur une planche de chute afin de protéger le plateau de l'établi. Dans un premier temps, accentuez la ligne d'épaulement marquée au trusquin à l'aide d'un ciseau à large lame. Le creux ainsi marqué favorise une découpe droite sur toute l'épaisseur de la planche. Ménagez un léger biseau sur le côté intérieur de la ligne afin de pouvoir y appuyer la planche du ciseau à bois.

TRAÇAGE DES PENTES À L'AIDE D'UNE FAUSSE ÉQUERRE

- En ce qui concerne les pentes de queues d'aronde, les professionnels préconisent souvent un rapport de 1 pour 6 pour les bois tendres (la pente figure la diagonale d'un rectangle 6 fois plus haut que large) et de 1 pour 8 pour les bois durs (la pente figure la diagonale d'un rectangle 8 fois plus haut que large). La méthode la plus simple consiste à effectuer un marquage préliminaire sur une planche de chute afin d'ajuster votre fausse équerre.
- Tracez une ligne transversale sur une planche de bois. À l'aide d'une règle ou d'un compas, divisez-la en plusieurs segments de 15 ou 20 cm. Marquez un repère sur l'un des bords de la planche à 2,5 cm de la ligne.
- Connectez ce repère avec le point marquant le premier segment de 15 ou 20 cm. Amenez le talon de votre fausse équerre en butée contre le bord de la planche et placez la limite inférieure de la lame sur le repère. Faites pivoter la lame pour qu'elle coïncide avec l'extrémité du segment de 15 ou 20 cm. Verrouillez l'instrument, puis tracez les pentes sur la pièce à assembler.

Retirez la plus grande partie du rebut à l'aide d'un ciseau à bois. Travaillez sur une demi-épaisseur, alternativement sur chacune des faces, afin de minimiser les risques de déchirement des fibres liés aux découpes sur bois de bout. Évasez légèrement les découpes d'épaulement vers l'intérieur du caisson afin d'éviter tout jeu lors de l'assemblage final. Ébarbez les angles, si nécessaire, à la fin du travail.

Servez-vous de la planche découpée pour marquer les queues sur la deuxième planche à l'aide d'un poinçon bien affûté. Positionnez la planche des tenons à la verticale sur l'extrémité de la planche non découpée, après avoir placé celle-ci à plat sur l'établi. Les pentes des tenons facilitent le maniement du poinçon. Pour vous aider à la découpe, prolongez les lignes tracées par des traits perpendiculaires sur le bois de bout. Retirez le rebut à l'aide d'un ciseau comme précédemment.

8

9

10

0. Les découpes d'épaulement peuvent être légèrement évasées vers l'intérieur du caisson, à l'exception de celles des épaulements extérieurs destinés à recevoir les demi-tenons. Ces dernières seront visibles et doivent être parfaitement droites.

1. Avant de procéder à l'assemblage final, faites plusieurs essais et ajustez au besoin les découpes. Ceci fait, encollez les faces intérieures des tenons et assemblez les deux planches. L'usage d'une cale de bois et d'un maillet sera peut-être nécessaire pour obtenir un emboîtement parfait. Prenez garde, cependant, de ne pas briser les pièces.

11

4. CARCASSES

Bureaux, présentoirs, meubles hi-fi ou simples accessoires de rangement, les meubles à carcasse carrée ou rectangulaire sont présents dans la plupart des habitations et des locaux professionnels.

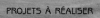

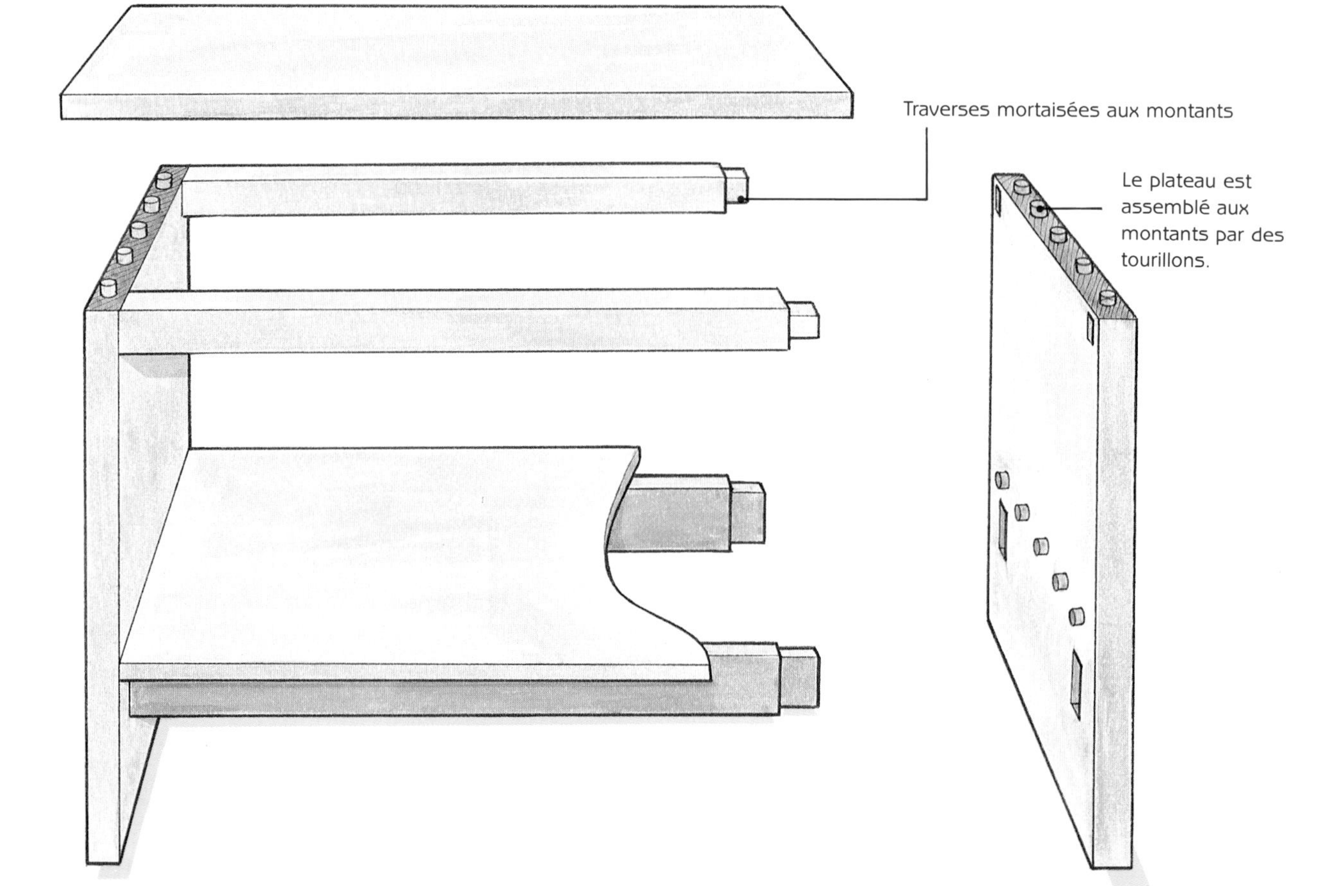
Traverses mortaisées aux montants
Le plateau est assemblé aux montants par des tourillons.

CAISSON À QUEUES D'ARONDES

Pour la construction de ces meubles, les ébénistes utilisaient autrefois des planches de grande largeur, qui finissaient en général par se fendre sous les contraintes liées aux mouvements du bois. Pour éviter ces aléas, les artisans substituent aujourd'hui aux grandes pièces de bois massif des ossatures constituées d'éléments de faible largeur, rainurés sur leur chant intérieur pour permettre la pose de panneaux d'habillage peu épais. Le jeu ménagé entre le fond des rainures et les bords des panneaux permet les dilatations ou contractions liées aux variations d'hygrométrie.

L'assemblage à tenon et mortaise et l'assemblage à tourillons sont deux des techniques les plus couramment employées pour le montage des cadres et autres carcasses de meubles. Comme le montre l'illustration ci-dessus, ces deux assemblages peuvent être utilisés conjointement sur une même réalisation.

RAINURE ET LANGUETTE BÂTARDE

'assemblage à tourillons a oujours été l'une de mes echniques de construction avorites. Il est invisible – il ne isque donc pas de nuire à 'esthétique d'une surface – et rès facile à réaliser. Percez es trous associés sur les deux léments à assembler, enduiez de colle quelques petites hevilles de bois et assemlez ; le tour est joué ! Dès ors que les faces accolées ont correctement poncées et ue les trous sont percés roits et en face les uns des utres, tout se passe sans aniroches. Les divers guides de ourillonnage disponibles dans e commerce permettent un ravail très précis. Ils se préentent généralement sous la orme d'une presse que l'on erre sur la pièce travaillée, et ui supporte un guide percé le plusieurs trous corresponlant à divers diamètres de nèches et forets.

Assurément moins résisant que l'assemblage à tenon t mortaise (qui évite la failesse du collage sur bois de out), l'assemblage à touillons convient cependant à a plupart des réalisations. 'industrie du meuble fait ne grande consommation e tourillons. J'ai un jour emandé à un professionnel de la restauration de meubles son avis sur cet assemblage, pensant qu'il avait dû, à maintes reprises, constater sa relative faiblesse. Il me répondit qu'un assemblage à tourillons était fiable environ quarante ans et qu'au-delà, le joint prenait du jeu mais pouvait aisément être recollé.

Si vous faites l'acquisition d'un guide de tourillonnage, optez pour un modèle autocentreur. Les trous d'un assemblage à tourillons sont souvent percés sur la ligne médiane d'un chant ; il est plus sûr de laisser l'instrument se charger de cet aspect du problème. Pour effectuer un percement décalé, il vous est toujours possible de placer une cale de bois sur l'une des faces de la pièce travaillée. De même, si vous souhaitez poser un tourillon au centre d'une pièce dont la largeur excède la capacité de l'instrument, utilisez celui-ci pour confectionner votre propre guide. Ménagez des trous de guidage sur un tasseau de forme régulière, que vous placerez ensuite sur la pièce travaillée à l'endroit prévu du perçage.

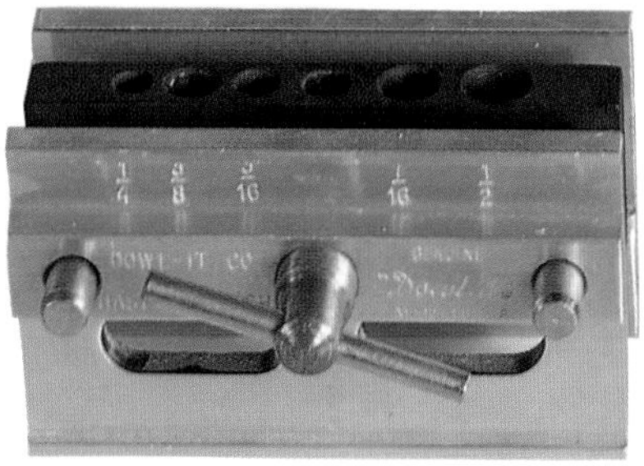

Choisissez un guide de tourillonnage robuste et bien conçu.

1. Situez par traçage l'emplacement des tourillons sur les pièces à assembler. Pour une précision optimale, j'effectue le traçage simultanément sur les deux pièces accolées face contre face.

2 Placez le guide sur l'une des lignes de repère. Sa partie centrale est percée de plusieurs trous correspondant à divers diamètres de forets, et comporte un repère d'alignement pour chacun de ces trous. Placez le repère d'alignement correspondant au diamètre de la mèche utilisée (ici, 9 mm) en face de la ligne tracée sur la pièce travaillée. Selon le guide utilisé, il est possible que vous ayez à prolonger le traçage sur une des faces adjacentes pour obtenir un parfait alignement.

3. Pour ajuster la profondeur de perçage, insérez la mèche dans le trou correspondant du guide et réglez sa position en vous basant sur la longueur du tourillon. La profondeur des trous ménagés dans les deux éléments doit être légèrement supérieure à la moitié de la longueur des chevillettes de bois. Une marge supplémentaire, de 3 mm environ, laisse la place pour les éventuels excédents de colle.

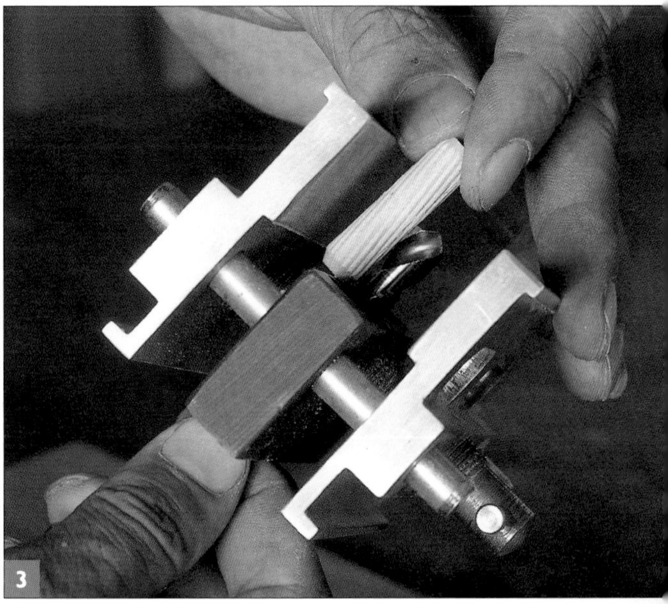

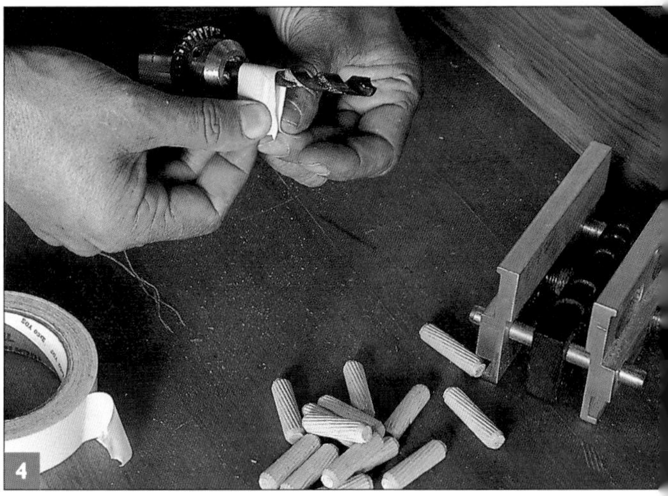

4 Confectionnez un repère à l'aide de ruban de masquage adhésif pour marquer la profondeur de perçage sur la mèche. Ainsi, les trous seront tous façonnés à la même profondeur.

5. Immobilisez la pièce travaillée dans l'étau de l'établi, puis effectuez le perçage à l'aide d'une perceuse électroportative. Stoppez l'opération lorsque le repère de ruban de masquage touche la face supérieure du guide de perçage.

5

6. Enduisez de colle à bois l'intérieur des trous d'un des composants. Pour plus de sûreté, j'applique également une couche de colle sur la surface à assembler, même si le bois de bout ne constitue pas, à cet égard, le support idéal.

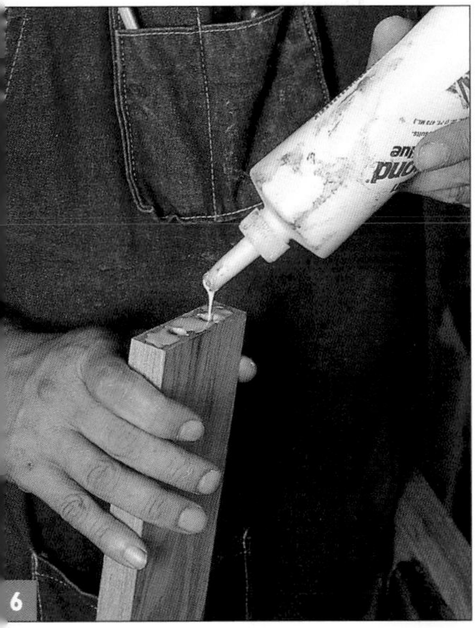
6

7

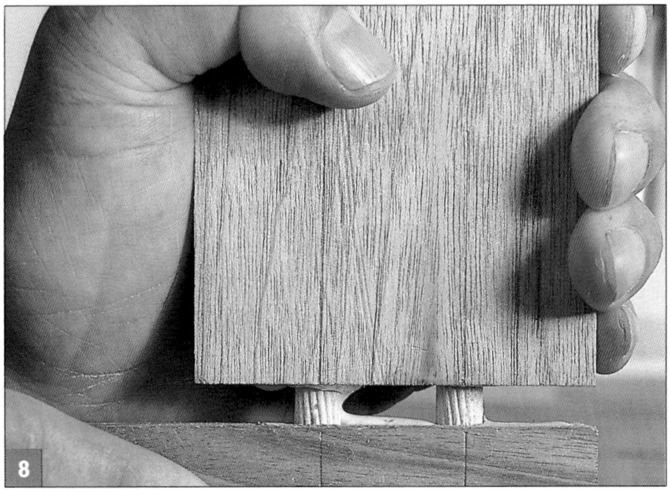
8

7. Enfoncez les tourillons dans les trous (il vous sera probablement nécessaire d'utiliser un maillet ou un petit marteau).

8. Encollez les trous du deuxième élément et assemblez les deux pièces. Pressez à l'aide d'un serre-joint jusqu'au séchage complet de la colle.

Autre méthode

1. Ce mode d'assemblage peut également être réalisé à l'aide d'embouts de marquage, commercialisés par paires pour trous de 6 mm à 13 mm de diamètre. Percez une des pièces à assembler et placez un embout de marquage dans chacun des trous. Il est primordial que les trous soient parfaitement verticaux ; c'est pourquoi il est préférable d'effectuer le perçage à l'aide d'une perceuse en poste fixe. À défaut, positionnez la mèche en vous aidant d'une équerre droite.

1

2

2. Après avoir inséré les pointes à centrer, pressez la pièce de bois en place sur le deuxième composant, en ayant soin d'aligner soigneusement les deux éléments.

3

3. Les pointes à tourillons impriment de légères perforations sur la face du deuxième élément. Utilisez de préférence, pour le perçage, une mèche à trois pointes ou une mèche à téton, dont la pointe de centrage évite tout risque de glissement sur le bois. Alignez la mèche avec soin et placez un repère sur celui-ci pour déterminer la profondeur de coupe.

ASSEMBLAGE À TENON ET MORTAISE

Cet assemblage très solide convient parfaitement au support d'une charge importante et permet un équerrage très précis des composants. On l'utilise principalement pour construire les ossatures de meubles à panneaux d'habillage ainsi que pour les piétements de nombre de tables et de chaises.

Sa résistance tient à la dimension importante des surfaces encollées, constituées par les joues du tenon et de la mortaise associée. De plus, les collages sont réalisés à fil croisé. D'autre part, les épaulements du tenon assurent un parfait équerrage et une grande résistance à la torsion.

D'ordinaire, le tenon est façonné dans la pièce horizontale (la traverse) et la mortaise dans la pièce verticale (le montant). L'épaisseur du tenon doit être équivalente à environ un tiers de celle de la pièce de bois. Évitez, de préférence, le tenon à quatre épaulements, car il est difficile de façonner ceux-ci exactement sur le même plan. De plus, ils diminuent les surfaces encollées et affaiblissent, de ce fait, l'assemblage.

Les découpes d'un assemblage à tenon et mortaise peuvent être réalisées à l'aide d'une grande variété d'outils à main ou électriques. Quelle que soit la méthode employée, il est important d'accorder une grande attention au traçage. La mortaise, d'une réalisation plus délicate, est généralement façonnée en premier ; le tenon est ensuite découpé à dimension. Il est beaucoup plus facile de dresser les joues d'un tenon à l'aide d'un ciseau bien affûté que de rectifier celles d'une mortaise.

L'assemblage à tenon et mortaise tire sa solidité de la grande dimension des surfaces encollées.

1. Utilisez un trusquin d'assemblage pour tracer le tenon et la mortaise sur les deux pièces de bois. Cet instrument, qui marque simultanément les deux lignes de repère d'un tenon ou d'une mortaise, permet une plus grande précision que celle obtenue par une double mesure à l'aide d'un trusquin simple. Prenez soin d'effectuer le traçage du tenon et de la mortaise à partir de la face coïncidante de chacune des pièces (voir photo n° 2).

3. Il est possible de tailler intégralement la mortaise à l'aide d'un bédane, outil plus lourd que le ciseau droit traditionnel et spécialement conçu pour cette tâche ; il est cependant plus facile d'effectuer l'essentiel du travail au moyen d'une perceuse en poste fixe, avec une mèche d'un diamètre légèrement inférieur à la largeur de la mortaise. Pour gagner en précision, percez d'abord les trous d'extrémité, puis retirez progressivement le rebut en progressant vers le centre. Placez un morceau de ruban de masquage sur la mèche pour déterminer la profondeur de coupe.
À défaut d'un poste fixe, percez les trous à main levée, ou bien aidez-vous d'un guide de tourillonnage.

2. Le marquage du rebut sur chacune des pièces n'est pas indispensable, mais il permet de visualiser clairement les découpes à effectuer.

Utilisez un ciseau à bois pour éliminer le reste du rebut et dresser les parois au droit du traçage.

Diverses méthodes conviennent à la découpe d'un tenon, l'essentiel étant que les épaulements soient tous dans le même plan et parfaitement perpendiculaires aux faces de la pièce. Il est également très important que le tenon s'emboîte dans la mortaise sans jeu.

Retirez le rebut à l'aide d'une scie circulaire sur table. Afin de réaliser des découpes d'épaulement parfaitement identiques, fixez une cale de bois d'une épaisseur adéquate contre le guide parallèle. Amenez la pièce travaillée en butée sur celle-ci, puis fixez-la, au besoin à l'aide d'un serre-joint, contre le guide d'onglet. Poussez sur celui-ci pour amener la pièce vers la lame. Le tenon n'est plus en contact avec la cale durant la découpe, évitant ainsi que les petits morceaux de rebut ne se coincent ou soient projetés vers l'opérateur.

7. Répétez l'opération en plaçant la pièce travaillée sur chant pour découper les épaulements latéraux du tenon. Utilisez de la même façon la cale et le guide d'onglet afin que ces nouvelles découpes soient exactement à fleur des deux précédentes.

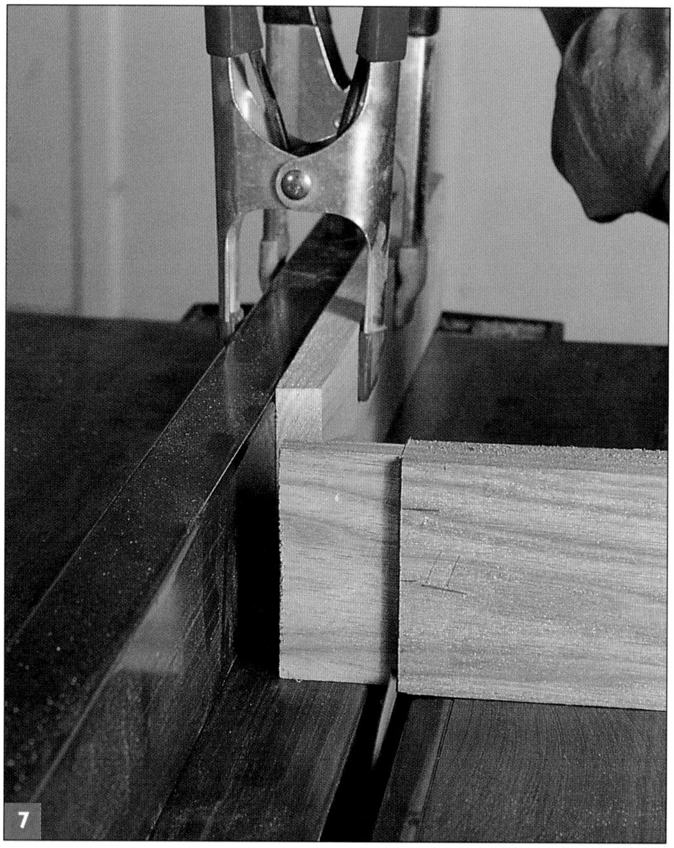

7

8

9

8. Retirez le rebut à l'aide d'une scie à ruban ou par passes successives à la scie sur table.

9. Lissez les faces du tenon à l'aide d'un ciseau de dressage. Appuyez la planche de l'outil sur la face travaillée afin d'obtenir une découpe nette et rectiligne. Prenez garde à ne pas déformer le tenon durant ce travail.

Autre méthode

Une défonceuse travaillant en plongée permet le façonnage rapide et précis d'une mortaise.

1. Adaptez un guide latéral sur la défonceuse et vissez sur celui-ci une cale de bois. L'épaisseur de la cale doit dépasser d'au moins 25 mm l'extrémité de la fraise ; ainsi, la cale s'appuie sur le côté de la pièce travaillée avant que la fraise n'entre en contact avec le bois. Après avoir calé le guide latéral sur la pièce travaillée et placé l'outil au dessus de la partie à découper, faites plonger la fraise en rotation dans le bois, puis procédez par va-et-vients jusqu'à la profondeur de coupe souhaitée. La largeur de la mortaise est déterminée par le diamètre de la fraise ; sa profondeur peut être ajustée à l'aide de la butée prévue à cet effet sur la défonceuse. Façonnez la mortaise sur toute sa longueur, puis stoppez la rotation de la fraise avant de relever l'outil.

1

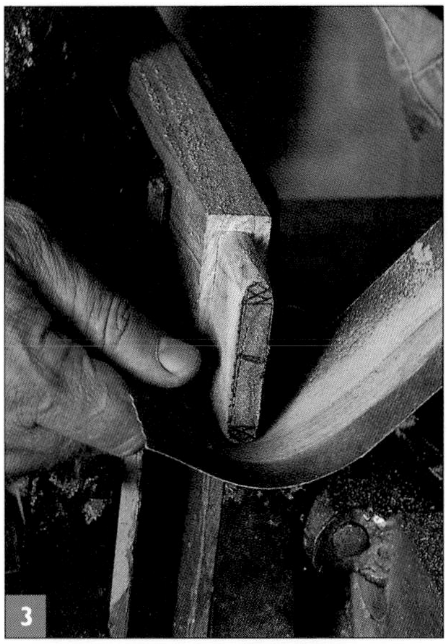
3

2. Si la pièce à mortaiser est trop étroite pour recevoir le guide parallèle de la défonceuse, placez-la entre deux planches de chute aux faces perpendiculaires. Pour éviter que la fraise ne dépasse le traçage aux deux extrémités de la mortaise, aidez-vous de cales fixées à l'aide de serre-joints ; à défaut, réalisez cette opération à main levée.

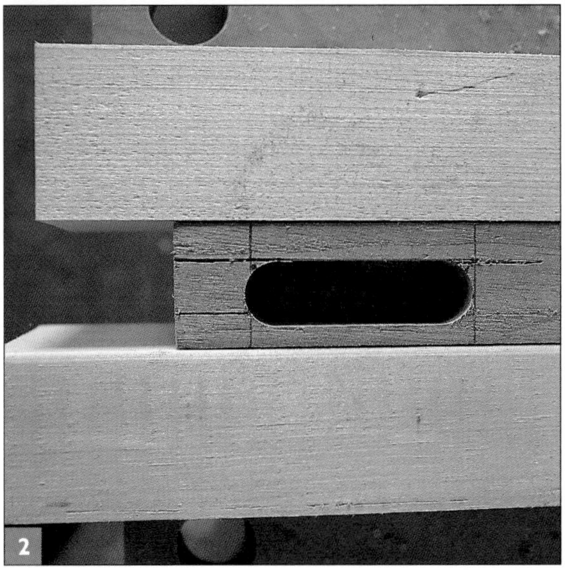
2

3. La fraise de la défonceuse façonne en arrondi les deux abouts de la mortaise ; vous pouvez redresser les deux parois à l'aide d'un ciseau adéquat, ou bien arrondir les deux chants du tenon correspondant. Cette dernière option est la plus aisée ; cassez les angles des deux parois à l'aide d'une lime ou d'une râpe, puis terminez le travail au papier de verre, en procédant comme pour le lustrage d'une chaussure à l'aide d'un chiffon.

5. PORTES

La construction de portes fait appel à différents assemblages. Les portes extérieures, lourdes et massives, sont le plus souvent montées à l'aide de tenons à renfort d'épaulement ou de tenons doubles. Le renfort d'épaulement, situé sur la face supérieure du tenon, est emboîté dans l'entaille permettant le montage des panneaux. On évite ainsi le façonnage d'une entaille arrêtée tout en renforçant la rigidité du cadre. Les portes plus légères sont construites à l'aide d'assemblages à tenon et mortaise simples ou de joints à mi-bois.

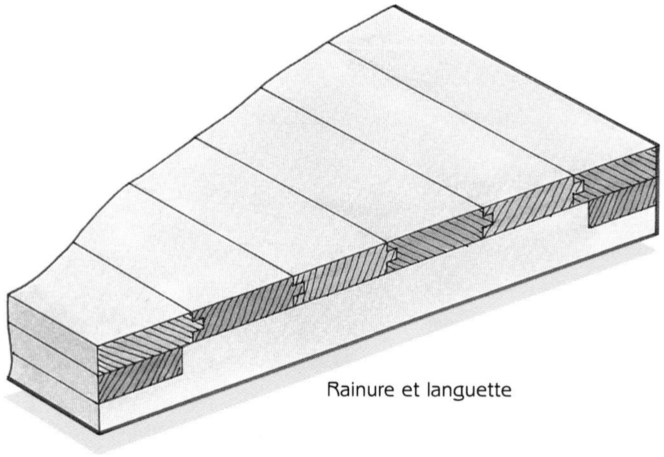

Rainure et languette

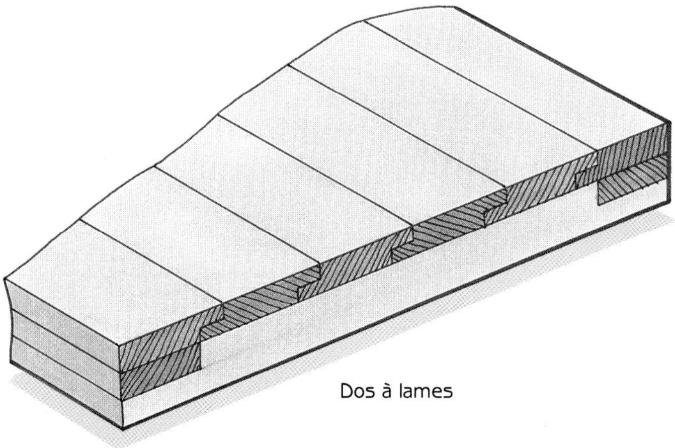

Dos à lames

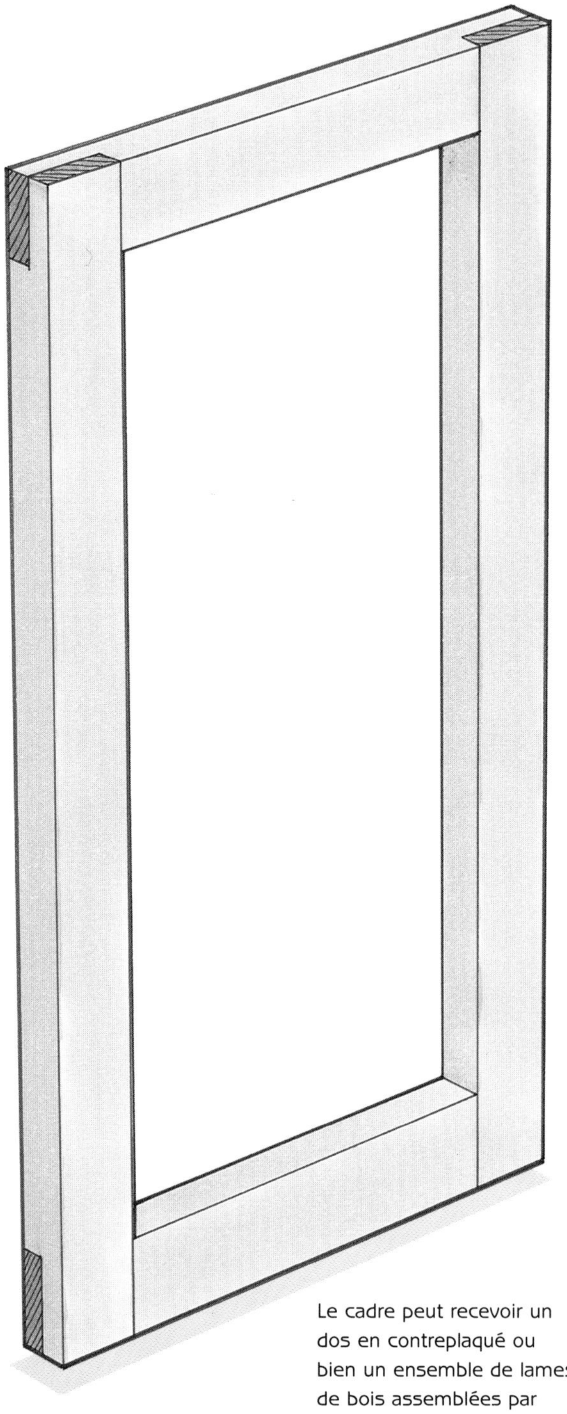

Le cadre peut recevoir un dos en contreplaqué ou bien un ensemble de lames de bois assemblées par recouvrement.

ASSEMBLAGE D'ANGLE À MI-BOIS POUR CADRE DE PORTE

ASSEMBLAGE À MI-BOIS

Comme son nom l'indique, il consiste à réduire de moitié l'épaisseur des deux éléments au point de liaison, de manière à retrouver l'épaisseur initiale de chaque élément une fois l'assemblage réalisé.

Bien qu'il présente une surface encollée importante, cet assemblage n'est pas aussi solide que l'assemblage à tenon et mortaise, dont il est voisin. Il est souvent employé en ébénisterie ou pour la construction de portes et d'éléments non structuraux. Juxtaposant bois de bout et bois en long, il présente également un intérêt esthétique, comme en témoigne la pièce en pin présentée ci-dessous.

Les méthodes de découpe sont les mêmes que pour un assemblage à tenon et mortaise ; il s'agit essentiellement de retirer le rebut puis de dresser les faces travaillées jusqu'à obtenir un parfait ajustement.

On peut également réaliser les découpes à la défonceuse, ou bien utiliser simplement cet outil pour dresser les faces travaillées après enlèvement grossier du rebut à la scie à main.

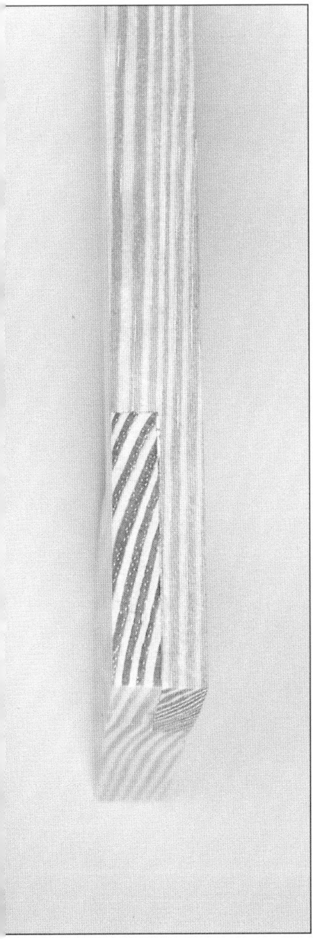

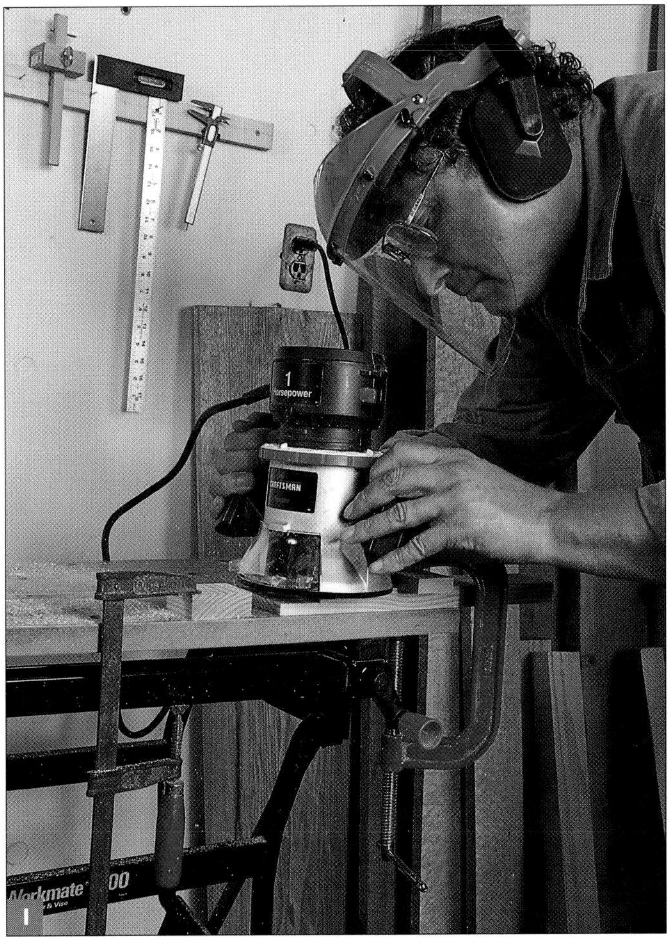

1. Pour retirer le rebut à la défonceuse, vous avez besoin d'une fraise droite et d'un tasseau de bois pour guider la découpe.

2. Positionnez le guide en mesurant la distance entre le tranchant de la fraise et le bord de la semelle de l'outil. Cette distance varie suivant le diamètre de la fraise utilisée ; c'est pourquoi il est nécessaire de la contrôler avant chaque emploi guidé. Après avoir tracé la ligne d'épaulement sur la pièce travaillée, reportez en arrière de celle-ci la cote mesurée sur l'outil et tracez une deuxième ligne transversale. Placez le bord du tasseau sur celle-ci en vous assurant (cela est essentiel) de son parfait équerrage par rapport aux bords de la pièce.

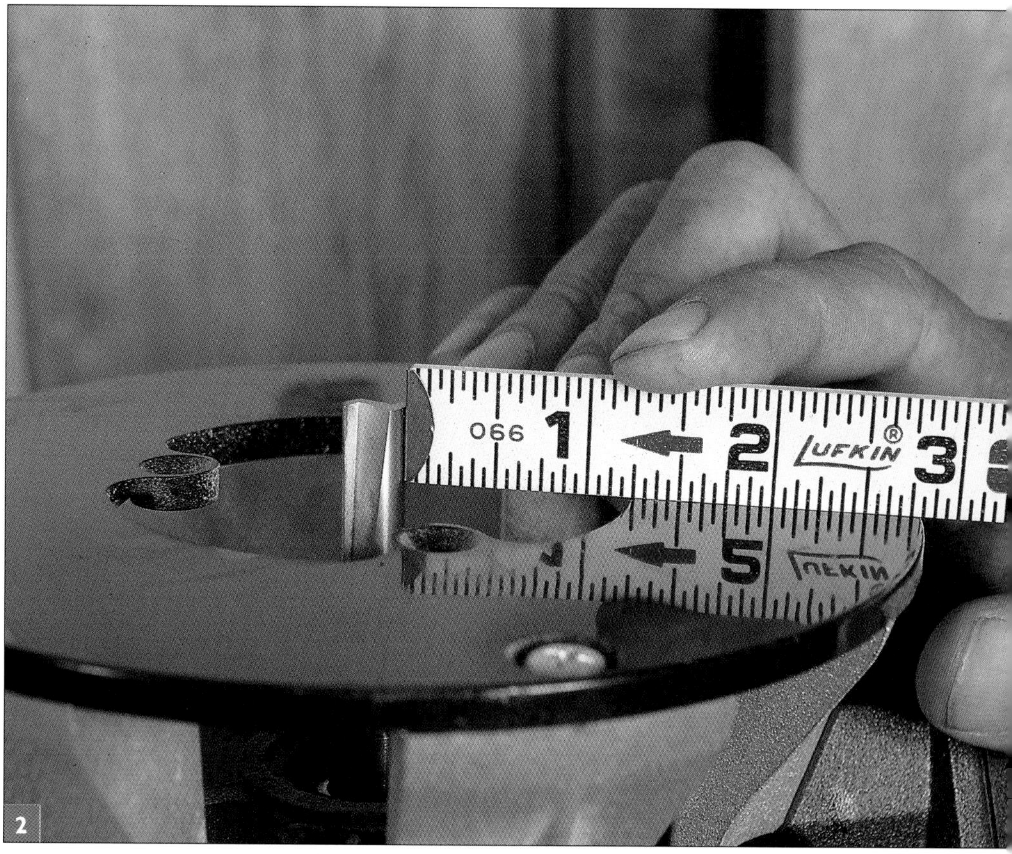

2

3. Le travail à l'extrémité de la planche est rendu plus difficile par l'absence de support pour l'outil. Pour remédier à ce problème, fixez une cale de bois de même épaisseur que la pièce travaillée en face de celle-ci.

3

4

4. Retirez le rebut par passes successives, en travaillant de l'extrémité de la planche vers la ligne d'épaulement. Procédez lentement et prenez soin de toujours attaquer le rebut selon une direction inverse à celle de la rotation de la fraise ; dans le cas contraire, l'outil risque de se dérober et d'échapper à votre contrôle. Cette méthode convient également pour retirer le bois de rebut au milieu d'une pièce de bois ; guidez alors la découpe en fixant un tasseau à la cote adéquate de part et d'autre de la surface travaillée.

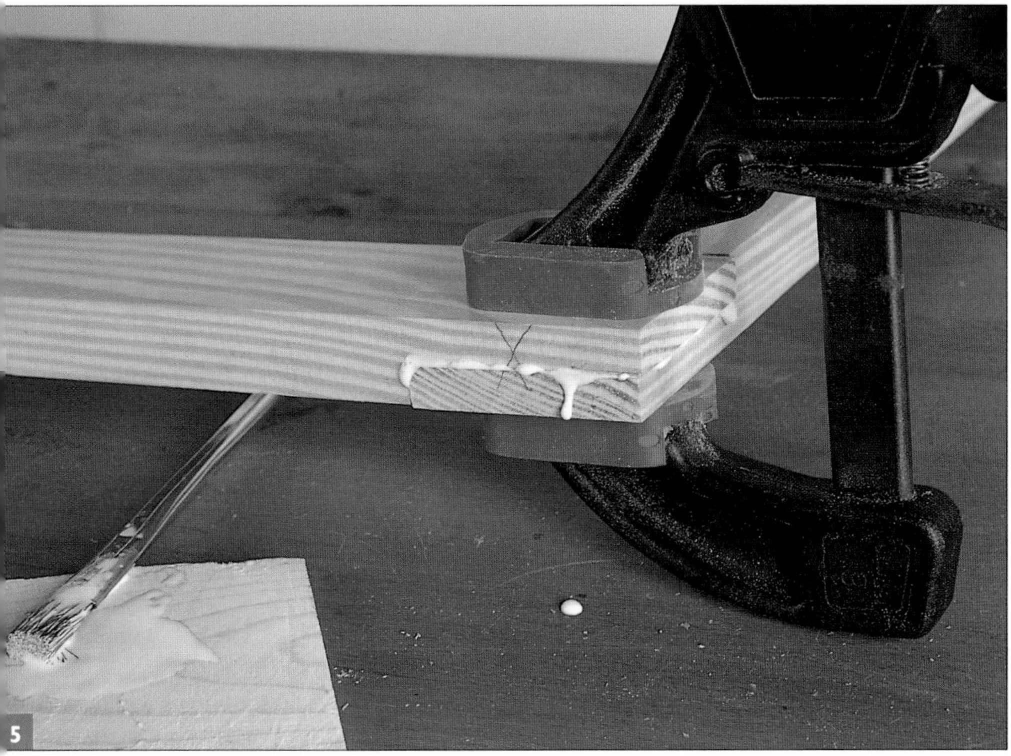
5

5. Après encollage, placez l'assemblage sous presse jusqu'à séchage complet pour garantir une solidité optimale.

Autre méthode

Une défonceuse montée sur table s'avère également très pratique pour ôter le bois de rebut ou lisser les surfaces lors du façonnage d'assemblages à tenon et mortaise ou à mi-bois.
La pièce peut être travaillée à plat sur la table, ou bien verticalement, à l'aide de cales ou de serre-joints adéquats.

RÉPARATIONS SIMPLES ET RAPIDES

- Il arrive parfois, au moment de l'assemblage final, que l'on découvre un éclat de bois sur l'un des chants. Plutôt que de trancher l'éclat, la solution la plus simple et la moins visible consiste à glisser un peu de colle dessous à l'aide d'un cure-dents, d'un couteau à lame fine ou de tout autre instrument approprié.

- Après avoir inséré la colle, pressez l'éclat dans son logement à l'aide d'un morceau de ruban de masquage appliqué transversalement. Efforcez-vous de maintenir une pression constante sur l'éclat durant la pose de l'adhésif. Après séchage complet, retirez le ruban et poncez légèrement la surface pour éliminer les éventuels résidus de colle.

- La réparation des petites fentes et la fixation des nœuds morts peuvent être effectuées à l'aide de colle cyanoacrylate, commercialisée par divers fabricants sous le nom de colle à prise instantanée. Un de ces produits existe en plusieurs consistances, chacune accompagnée d'un durcisseur accélérant le séchage. Capables d'agir aussi efficacement sur la peau que sur le bois, ces colles doivent être utilisées avec précaution. Pour ma part, j'emploie la consistance la moins épaisse et la plus claire et me garde bien d'y adjoindre le durcisseur ; sous son effet, la colle blanchit et produit des bulles, rendant la réparation des plus visibles. Rien de cela n'arrivera si vous vous contentez de glisser un peu de colle dans la fente à réparer.

- Pour masquer une fente d'une largeur un peu plus conséquente, poncez la surface travaillée et versez la sciure obtenue dans l'ouverture. Après comblement de la fente, ajoutez un peu de colle cyanoacrylate et laissez sécher. Terminez par un léger ponçage à l'endroit de la réparation.

Ci-dessus : Glissez un peu de colle sous l'éclat de bois.

Ci-dessus : Pressez l'éclat de bois en place à l'aide de ruban de masquage adhésif.

SSEMBLAGE À TENON ET MORTAISE À RENFORT D'ÉPAULEMENT

et assemblage est souvent mployé pour la construction de portes, et particulièment les portes à panneaux. es renforts d'épaulement emboîtent aux deux extrénités de chacune des pièces u cadre, dans l'entaille ıénagée pour le montage es panneaux ; ainsi, le ıçonnage d'entailles arrêées devient inutile. Ce ıode de construction offre e plus l'avantage de placer tenon en retrait par rap-ort à l'extrémité de la pièce ssemblée.

Façonnez les tenons elon la méthode de votre hoix, en gardant à l'esprit ue leur épaisseur doit corespondre à la largeur des ntailles recevant les paneaux. Taillez le renfort 'épaulement à une lonueur équivalente à la proondeur de l'entaille ; dans a plupart des cas, cette lonueur est à peu près égale à épaisseur du tenon.

Il peut arriver, lors du nontage de portes et de ièces similaires, que la parie supérieure d'une mortaie éclate sous la poussée 'un tenon à renfort d'épauement. Afin d'éviter ce problème, on ménage une narge d'environ 3 cm aux eux extrémités de chacun les montants au moment de a découpe préliminaire des ièces, puis l'on arase ces lébords une fois la porte nontée.

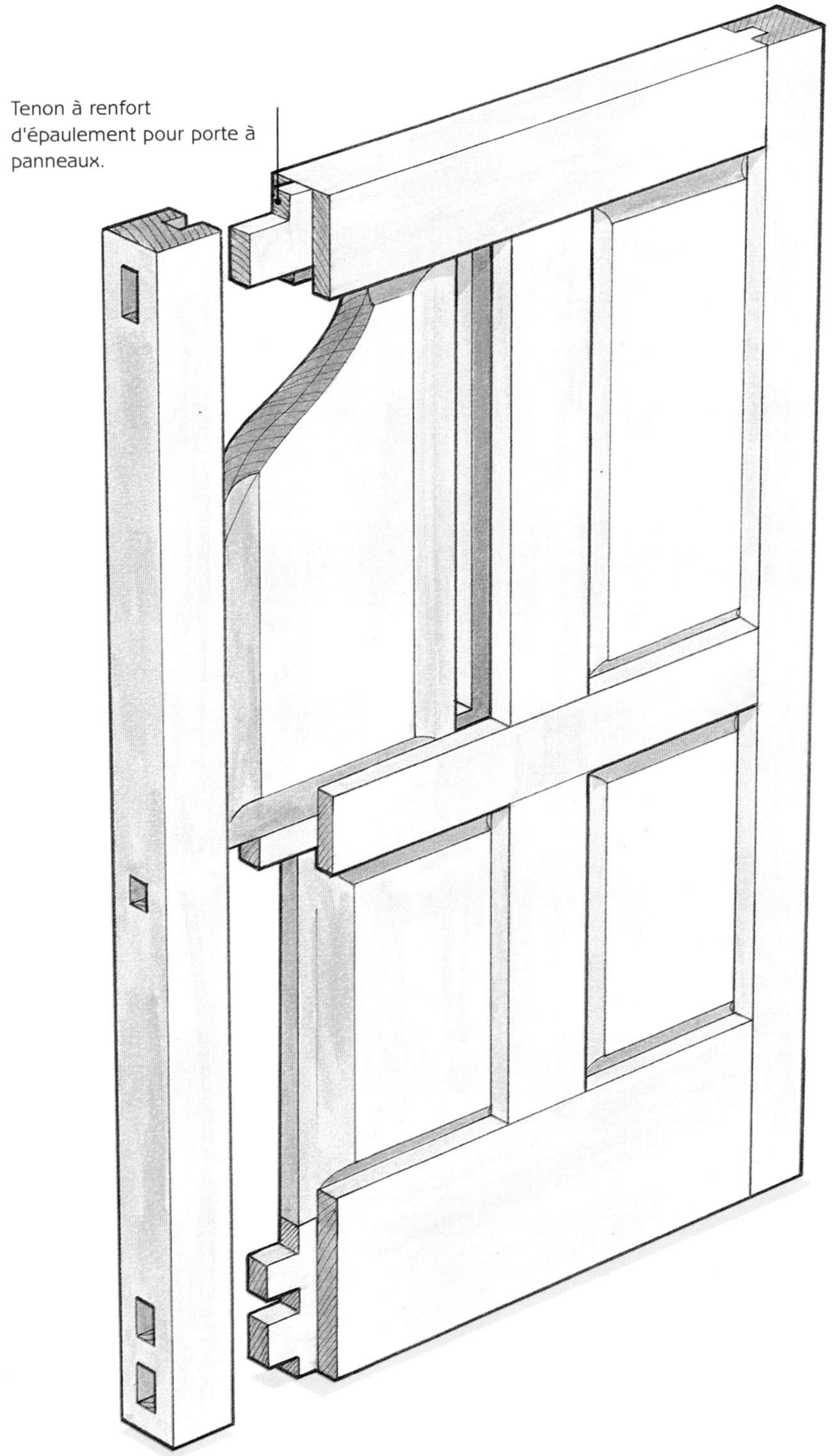

PORTE À PANNEAUX

LES COLLES À BOIS

- La plupart des assemblages tirent leur solidité de la façon dont les éléments s'ajustent et non du volume de colle utilisé. L'emploi d'une grande quantité de colle ne peut compenser un travail mal exécuté ; en fait, le plus souvent, cette dernière option ne fait qu'aggraver les choses. Nombre de travailleurs du bois utilisent des colles PVA (à base d'acétate de polyvinyle), de couleur blanche et relativement longues à sécher, ou des colles à base de résine aliphatique, de teinte jaune. Ces colles s'éclaircissent en séchant ; le collage devient pratiquement invisible si les découpes de l'assemblage ont été correctement réalisées.

- Dans le cas d'un collage bord à bord de lattes de grande longueur pour former, par exemple, un plateau de table, on peut facilement, si l'on n'y prend garde, causer des débordements de colle difficilement réparables. Certains menuisiers n'encollent que l'un des deux chants à assembler ; pour ma part, je préfère appliquer une fine couche de colle sur les deux surfaces. Une fois les lattes de bois collées, je presse l'ensemble à l'aide de serre-joints disposés tous les 40 cm et selon une orientation alternée afin que le montage demeure parfaitement plan. Il est parfois nécessaire de réajuster l'alignement d'un des éléments à l'aide d'une maillet et d'une planche de chute.

- Avant d'appliquer un quelconque produit de finition sur une surface, il est nécessaire que celle-ci soit débarrassée de toute tache de colle. La méthode la plus simple consiste à gratter la colle encore molle à l'aide d'un ciseau à bois ou d'un petit couteau. Certains essuient la colle encore fraîche avec un chiffon humide ; ce faisant, ils imprègnent le bois de colle diluée et ruinent souvent leur travail.

- Laissez sécher la colle au moins une nuit entière, puis poncez les surfaces pour éliminer les éventuels résidus. Soyez attentif, car toute tache de colle oubliée sautera aux yeux une fois le bois vernis ou ciré ; il vous faudra alors poncer la tache rebelle puis appliquer une nouvelle couche du produit de finition. Autant faire les choses bien d'emblée et vous épargner ce travail supplémentaire !

Placez l'ensemble sous presses durant 30 à 60 minutes pour une colle à base de résine aliphatique. Pour une colle PVA standard, reportez-vous aux recommandations du fabricant.

Serrez les serre-joints jusqu'à ce qu'un fin débord de colle se forme le long de chaque ligne d'assemblage.

Un serrage trop prononcé risque d'expulser la plus grande partie de la colle en certains points ; le collage serait alors peu résistant.

Les forces produites par les serre-joints se diffusent en éventail sur l'ensemble du montage.

Alternez l'orientation des serre-joints afin que le montage demeure parfaitement plan.

Pour éviter de marquer les deux grands chants du panneau, intercalez des cales de bois entre ceux-ci et les mâchoires des serre-joints.

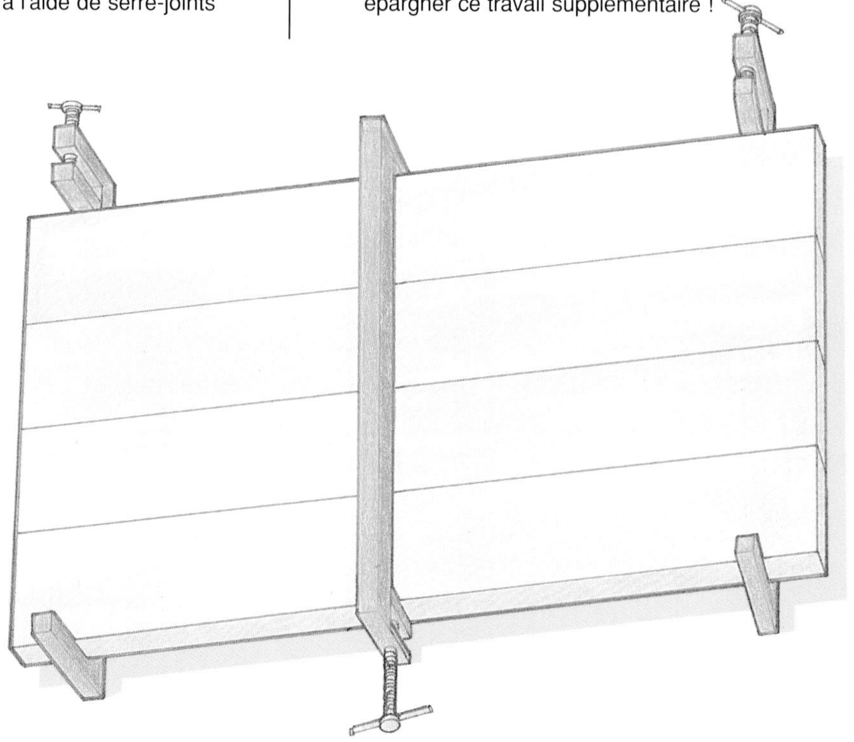

SERRE-JOINTS

'ORTE TRADITIONNELLE À BARRES ET ÉCHARPE

:es portes sont familières à eux d'entre nous qui ont assé toute ou partie de leur nfance à la campagne. :elles des granges de nos rands-parents grinçaient et aissaient passer les courants l'air, mais leurs barres de enfort constituaient de ıbuleux perchoirs pour les venturiers en herbe.

Les portes à barres et charpe peuvent être cons-'uites en diverses dimen-ions et sont généralement mployées lorsque qu'une absolue étanchéité à l'air n'est pas indispensable. Dans les maisons anciennes, elles font souvent office de portes de placards, et nombre de locaux à poubelles des zones urbaines en sont pourvus. Parfois, ces portes sont dotées d'un cadre périphérique qui dissimule l'aspect non fini des chants. Il est possible de construire une porte à barres et écharpe hermétique aux courants d'air ; pour ce faire, assemblez deux parois de lames de bois et insérez entre elles une couche de matériau isolant.

Une porte ou un volet à barres et écharpe se compose de quelques pièces de bois assemblées de manière fort simple : plusieurs lames de bois, d'une largeur comprise entre 5 et 10 cm, accolées verticalement bord à bord et maintenues en places par deux traverses appelées barres. Pour rigidifier l'ensemble et éviter les déformations lorsque la porte repose sur ses seuls gonds, les deux barres sont reliées par une pièce de bois biaise appelée écharpe. Le plus souvent, l'écharpe est emboîtée dans une encoche ménagée sur chacune des barres ; parfois, elle est simplement placée en butée sur celles-ci. La largeur des barres et de l'écharpe est généralement égale ou légèrement inférieure à celle des lames.

Les anciennes portes de ce type étaient souvent renforcées à l'aide de clous de charpentier traversants. Les pointes saillantes étaient abattues au marteau pour protéger les utilisateurs et garantir la parfaite cohésion de l'ensemble. Les modèles plus récents sont consolidés par des vis qui unissent les barres et l'écharpe aux lames verticales sans traverser ces dernières. Les vis sont placées dans de petits logements horizontaux de forme oblongue, à l'intérieur desquels elles peuvent glisser pour compenser les gonflements et les retraits du bois.

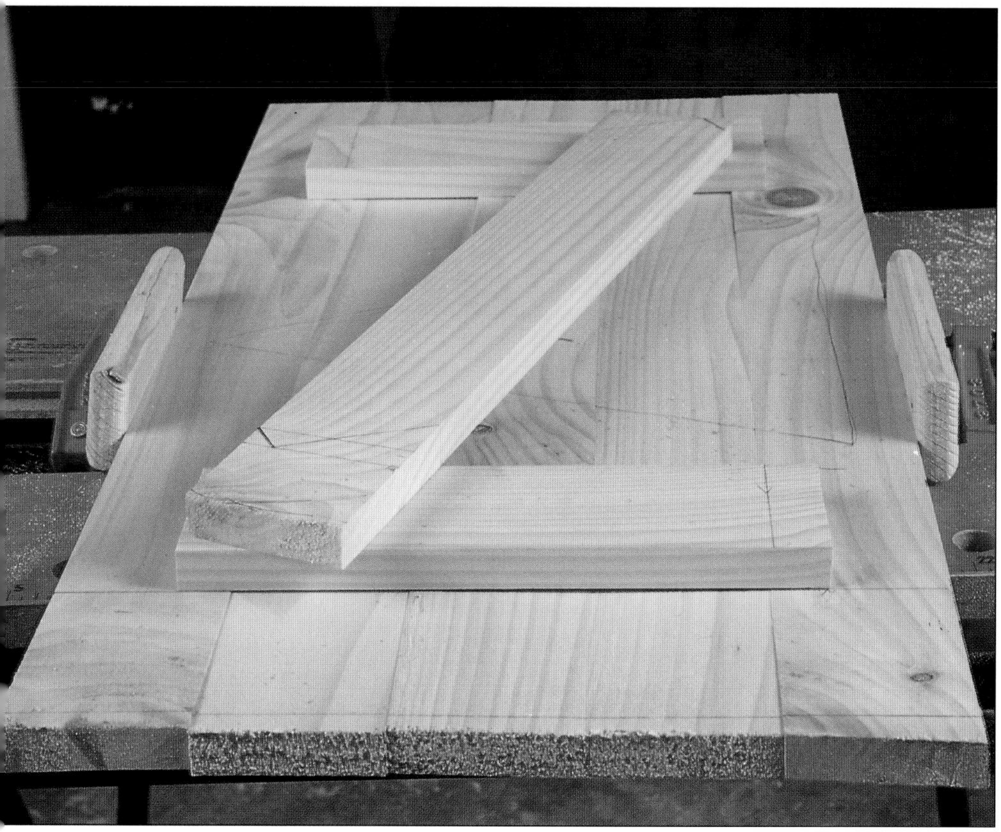

.i-dessus : Positionnement des barres et de l'écharpe.

DIMENSIONNEMENT DES ÉLÉMENTS

Au moment du façonnage des lames verticales, découpez les à une longueur supérieure d'environ 2 ou 3 cm à la hauteur prévue de la porte ; il est beaucoup plus facile de tailler la porte à dimension après montage que de poser barres et écharpe tout en conservant un parfait alignement des lames. Les vis fixant les barres de renfort aux deux lames d'extrémité étant posées dans des trous simples, la largeur de la porte peut être établie d'emblée sans trop de difficultés ; il ne sera donc pas nécessaire, en principe, de retailler les arêtes verticales.

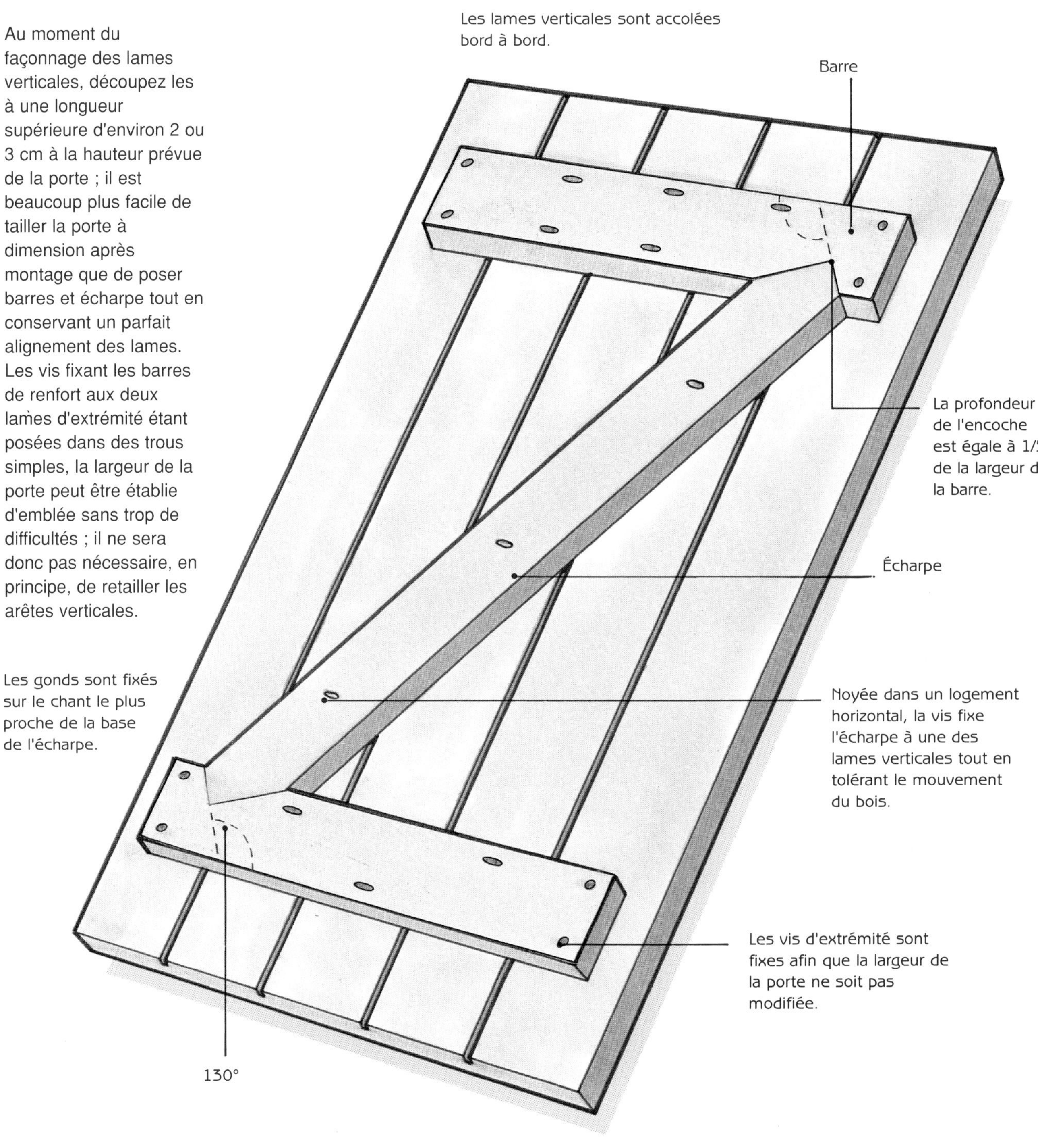

Les lames verticales sont accolées bord à bord.
Barre
La profondeur de l'encoche est égale à 1/5e de la largeur de la barre.
Écharpe
Noyée dans un logement horizontal, la vis fixe l'écharpe à une des lames verticales tout en tolérant le mouvement du bois.
Les gonds sont fixés sur le chant le plus proche de la base de l'écharpe.
Les vis d'extrémité sont fixes afin que la largeur de la porte ne soit pas modifiée.
130°

PORTE TRADITIONNELLE À BARRES ET ÉCHARPE

1. Après avoir disposé les lames verticales de la façon souhaitée, pressez-les au moyen d'un serre-joint. Vérifiez la largeur de la porte avant d'aller plus loin.

2. Basez-vous sur la largeur de porte pour dimensionner les barres de renfort ; ménagez un retrait d'environ 5 cm à chaque extrémité de façon à ce que les barres ne heurtent pas le bâti lors de l'ouverture ou de la fermeture de la porte.

3. Munissez-vous d'une grande équerre droite de menuisier et tracez des lignes de repère perpendiculaires pour positionner les barres.

4. Posez l'écharpe sur les barres, placées, mais non vissées, dans leur position définitive ; l'extrémité inférieure de l'écharpe doit être positionnée du côté du chant recevant les gonds, son extrémité supérieure du côté du chant libre. Après ajustement, tracez les découpes aux deux extrémités de la pièce de bois, comme indiqué sur l'illustration de la page opposée. Effectuez les découpes à l'aide d'une scie sauteuse.

5. Servez-vous de l'écharpe pour tracer les encoches sur les deux barres de renfort. Je découpe ces encoches à la scie sauteuse, mais scie à main ou scie à ruban font parfaitement l'affaire.

5

6

6. Façonnez les logements pour les vis dans les barres et l'écharpe ; les logements d'extrémité de chacune des deux barres sont des trous simples afin que la porte conserve toujours une largeur constante ; les autres logements sont de forme allongée. Pour les réaliser, percez deux ou trois trous juxtaposés à l'aide d'une perceuse électroportative. J'utilise une mèche-fraise qui perce un avant-trou et fraise un logement pour la tête de la vis ; de cette manière, la vis est noyée sous le nu de la barre ou de l'écharpe mais conserve un jeu qui permet au bois de réagir aux variations hygrométriques.

7

7. Retirez le rebut entre les trous à l'aide d'une scie, d'un ciseau à bois ou d'une lime.

8. Positionnez les éléments sur la porte et marquez au crayon l'emplacement de chaque vis ; vous pouvez ainsi vous assurer que chacune des lames reçoit le nombre de vis adéquat. Commencez l'assemblage par la fixation des barres de renfort. Posez d'abord les vis d'extrémité ; une fois celles-ci serrées, les mouvements du bois seront circonscrits aux lames intermédiaires.

8

9

10

9. Complétez la fixation des barres, puis vissez en place l'écharpe. Serrez toutes les vis dans leur logement et assurez-vous, pour finir, qu'aucune n'a été oubliée.

10. Taillez la porte à dimension en découpant les bords supérieur et inférieur à l'aide d'une scie sauteuse ou d'une scie circulaire électroportative. Pour rendre le maniement de la porte plus agréable et prévenir la formation d'éclats de bois, arrondissez légèrement les arêtes du chant extérieur au moyen d'un rabot à main ou d'une cale à poncer.

PORTE À BARRES ET ÉCHARPE ASSEMBLÉE PAR RAINURES ET LANGUETTES

Similaires aux portes traditionnelles à lames simples, ces portes offrent l'avantage d'une plus grande étanchéité à l'air, due au mode d'assemblage par rainure et languette de leurs lames verticales. À la fin du montage, la languette et la rainure des deux lames d'extrémité sont arasées afin d'obtenir des chants lisses et plats.

Le système d'emboîtement par rainure et languette garantit l'absence de jour entre les lames verticales, comme c'est souvent le cas pour une porte à lames simples. De plus, ce dispositif permet d'absorber sans dommages les mouvements saisonniers du bois. Cette qualité explique que l'assemblage à rainures et languettes soit souvent utilisé pour la construction de fonds de bibliothèques ou d'autres meubles similaires. On choisit parfois, dans ce cas, de façonner une baguette décorative le long de chaque joint.

La découpe des rainures et languettes peut être effectuée à l'aide d'une défonceuse, d'une toupie ou d'une scie circulaire sur table, à la condition, bien sûr, d'équiper ces machines des accessoires adéquats. Je privilégie l'emploi de la scie sur table, une méthode fiable, et qui a le mérite de m'éviter l'achat de nouveaux outils. Je découpe les rainures à l'aide d'une tête à rainer et utilise, pour le façonnage des languettes, deux lames associées et séparées entre elles par plusieurs cales d'écartement.

Comme il est plus faci de diminuer la profondeu d'une rainure que d'au menter la longueur d'un languette, je m'applique toujours à façonner les ra nures d'abord et dimensior ne les languettes en fonctio de celles-ci. La longueur d la languette se situe génér lement entre un tiers et u quart de l'épaisseur de lame de bois.

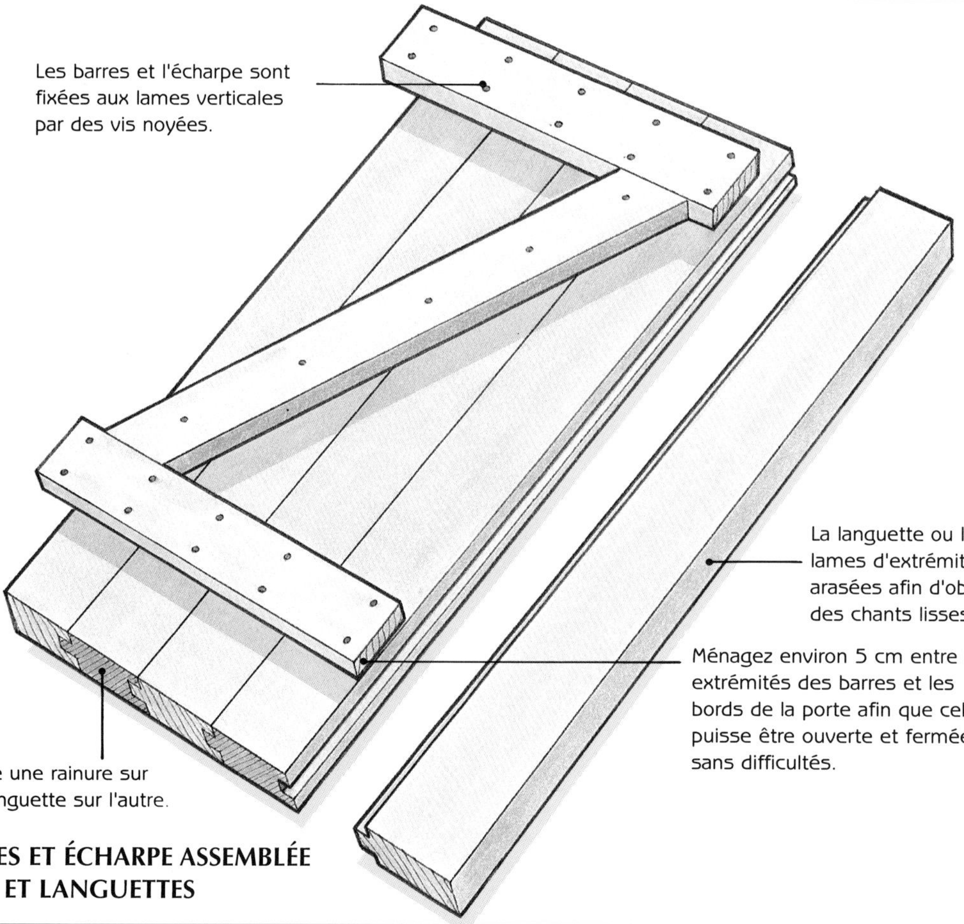

Les barres et l'écharpe sont fixées aux lames verticales par des vis noyées.
Chant recevant les gonds
La languette ou la rainure des lames d'extrémité sont arasées afin d'obtenir des chants lisses et plats.
Ménagez environ 5 cm entre les extrémités des barres et les bords de la porte afin que celle-ci puisse être ouverte et fermée sans difficultés.
Chaque lame porte une rainure sur un chant et une languette sur l'autre.

PORTE À BARRES ET ÉCHARPE ASSEMBLÉE PAR RAINURES ET LANGUETTES

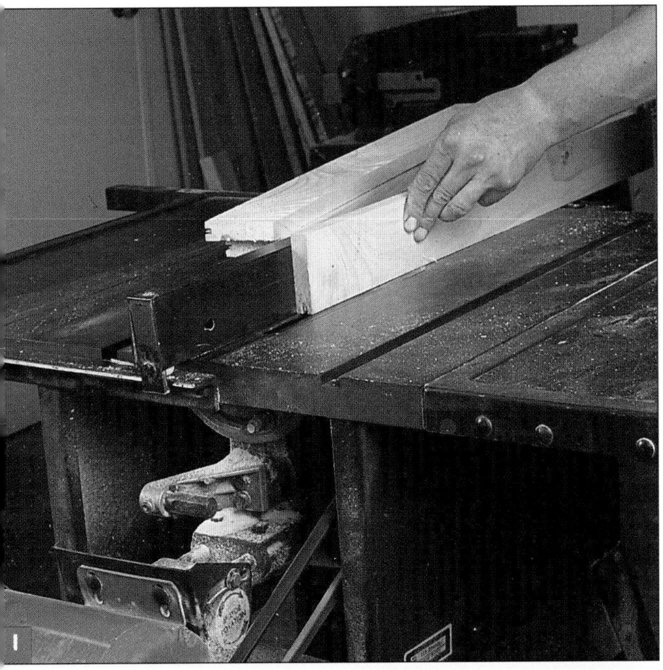

1. Disposez la scie sur table comme indiqué ci-contre pour découper les rainures. Choisissez une tête à rainer d'une largeur équivalente à celle souhaitée pour la rainure. Réglez la profondeur de coupe en abaissant ou relevant l'arbre porte-lame, et ajustez le guide parallèle de manière à ce que la découpe soit parfaitement centrée sur le chant de la lame de bois.

2. Gardez la même disposition pour la découpe des languettes, mais montez, cette fois, deux lames parallèles sur l'arbre porte-lame. Placez entre celles-ci un nombre de cales de façon à obtenir un intervalle équivalent à la largeur de la languette. Ici, j'ai utilisé un morceau de contreplaqué de 6 mm doublé d'un morceau de carton fort et d'une fine lamelle de papier. Lors de cette opération, n'oubliez pas de prendre en compte l'emprise des dents dans vos calculs ; la plupart du temps, celles-ci dépassent légèrement de la partie plate de la lame.

3. Après avoir découpé les deux joues de la languette, il reste à éliminer la fine lamelle de rebut sur chacune des faces. Utilisez une seule lame réglée à la hauteur de coupe adéquate. Utilisez un poussoir pour guider la pièce de bois durant la découpe.

4. Si nécessaire, facilitez l'emboîtement des lames de bois en lissant légèrement les parois des languettes à l'aide d'un feuilleret. Cet outil, dont le fer affleure exactement aux flancs, convient parfaitement à ce type de travail. Ajustez le fer pour une profondeur de coupe minimale. Plaquez le flanc de l'outil contre le chant de la lame de bois et sa semelle sur une des parois de la languette, puis actionnez doucement l'outil vers l'avant. De cette manière, l'épaisseur de la languette peut être affinée de façon très précise. Le rabot que j'utilise à cet effet est un feuilleret japonais, mais divers modèles de feuilleret sont distribués dans le commerce.

5. Après emboîtement de toutes les lames de bois, maintenez l'ensemble à l'aide d'un serre-joint. Percez des avant-trous fraisés dans les barres et l'écharpe afin de vissez celles-ci en place. Chaque lame verticale doit être reprise par au moins une vis sur chacune des barres. Je préfère, pour ma part, reprendre chaque lame par quatre vis.

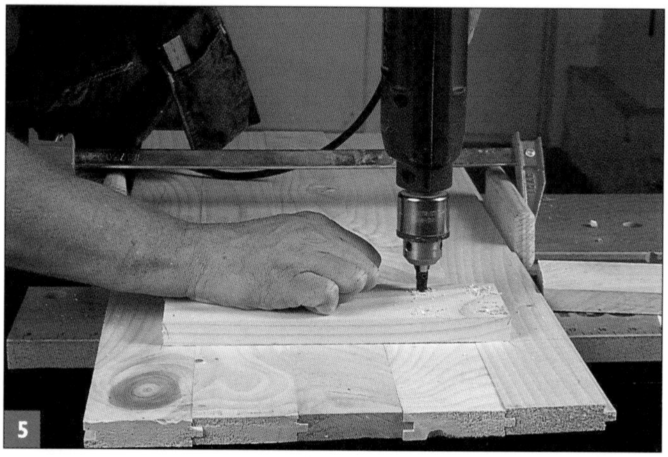

6. Placez une pièce de bois en diagonale sur les barres vissées en place afin de dimensionner l'écharpe. Marquez les lignes d'intersection des trois pièces.

SÉCURITÉ

La largeur des lames de bois étant à peine supérieure à la hauteur du guide latéral de la scie sur table, je n'ai pas eu besoin de le modifier pour réaliser les découpes sur chant. La fixation d'un guide d'appoint vous sera cependant nécessaire si vous travaillez sur des pièces de bois de plus grande largeur afin d'éviter leur basculement. Installez également un ou plusieurs presseurs à peigne tel qu'indiqué précédemment pour vous aider à guider le bois durant la découpe.

Comme pour tous travaux d'assemblage réalisés à la scie sur table, soyez très prudent. Dans le cas de rainures et languettes, le rebut est de faible épaisseur ; assurez-vous, malgré tout, que la main plaquant la pièce sur la table et contre le guide latéral se trouve placée loin derrière la lame. Faites également en sorte que les doigts de votre autre main, qui poussent le bois vers la lame, demeurent toujours sur la face supérieure de la pièce travaillée.

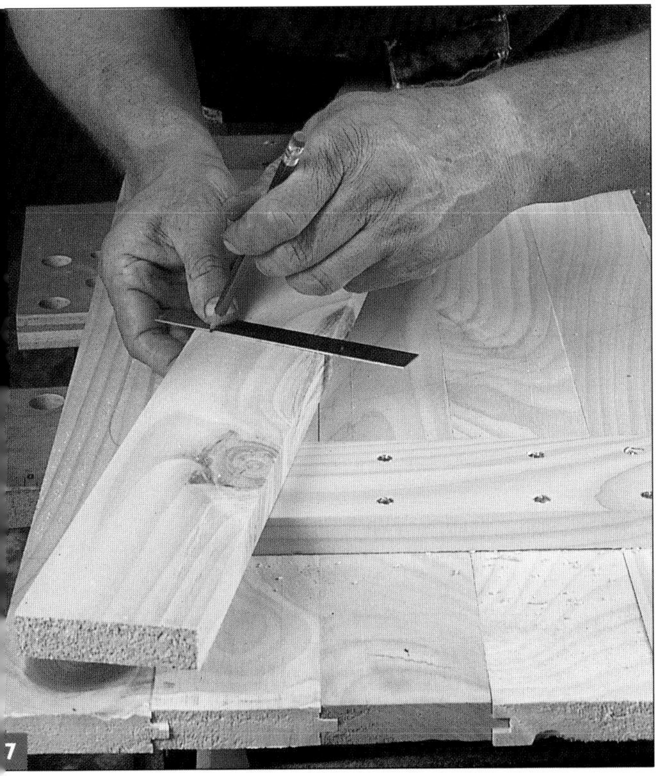

7. Servez-vous des repères pour tracer les lignes de découpe sur la pièce de bois, puis taillez celle-ci à dimension. Il vous est également possible, si vous le souhaitez, d'assembler l'écharpe par encochement des barres (voir page 98).

8. Taillez la porte à dimension à l'aide d'une scie sauteuse. Cet outil convient pour une porte de petite dimension ; pour effectuer les découpes finales sur une porte de plus grande taille, utilisez une scie à main ou une scie circulaire électroportative.

9. Pour finir, arrondissez les arêtes des chants à l'aide d'une ponceuse vibrante quart-de-feuille.

6. TIROIRS

Simples caissons coulissants en bois, les tiroirs sont des accessoires de rangement très pratiques, capables d'abriter, dans l'atelier par exemple, les petits clous comme les outils électroportatifs. Il est toujours préférable de dimensionner un tiroir en fonction des objets qu'il doit accueillir. Ainsi, un tiroir destiné au rangement de chemises pourra être plus profond qu'un autre recevant des outils, sans que cela nuise, pour autant, à sa facilité d'utilisation.

Les tiroirs peuvent également avoir une valeur décorative ; ceux qui rythment la face avant d'un meuble peuvent être soulignés par incrustation de fines lamelles d'un bois contrasté, par des moulures ou un choix de boutons ou de poignées approprié. Les boutons sont parfois façonnés dans du bois massif, mais on leur préfère souvent ceux en cuivre, étain, ou verre que l'on trouve en une grande variété de modèles dans les magasins spécialisés.

Les techniques de construction des tiroirs sont les mêmes, pour la plupart, que celles employées pour la construction de caissons. Les assemblages à queues d'aronde, à feuillures ou à rainure et languette sont les plus fréquemment rencontrés. Plutôt que de décrire à nouveau ces techniques, nous allons nous efforcer de préciser les détails qui distinguent la construction d'un tiroir de celle d'un simple caisson.

Le tiroir présenté sur l'illustration ci-contre est de conception très simple ; la pièce frontale est feuillurée sur ses quatre bords pour donner naissance à l'avant proprement dit de la carcasse. Celui-ci est rainuré en partie basse, comme le sont les côtés, pour permettre l'emboîtement d'un fond en contreplaqué de 6 mm d'épaisseur. Le dos du tiroir est simplement inséré entre les deux côtés, puis fixé à l'aide de colle et de clous.

On taille généralement la partie frontale du tiroir dans une pièce de bois de 19 mm d'épaisseur. Cet élément peut être feuilluré de manière à affleurer les côtés, mais c'est une opération qui requiert des découpes très précises ; vous éprouverez sans doute moins de difficultés en optant pour une face

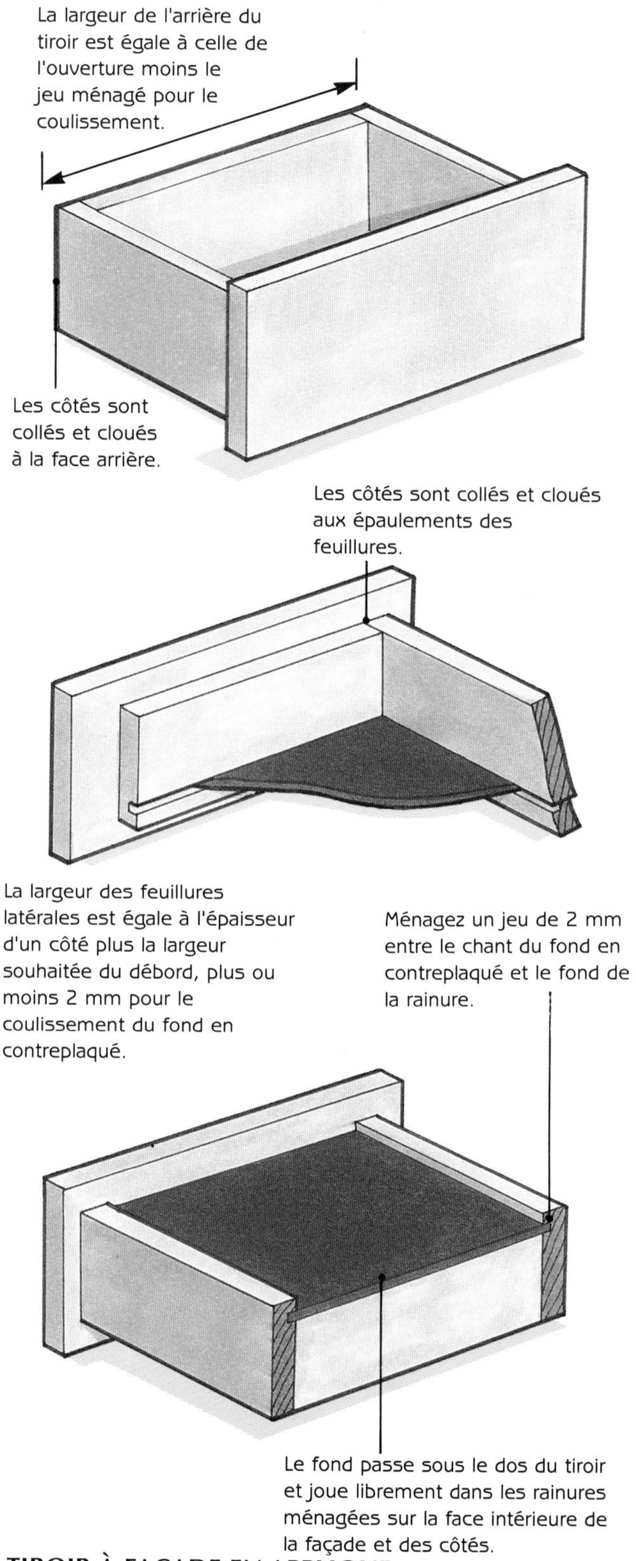

La largeur de l'arrière du tiroir est égale à celle de l'ouverture moins le jeu ménagé pour le coulissement.
Les côtés sont collés et cloués à la face arrière.
Les côtés sont collés et cloués aux épaulements des feuillures.
La largeur des feuillures latérales est égale à l'épaisseur d'un côté plus la largeur souhaitée du débord, plus ou moins 2 mm pour le coulissement du fond en contreplaqué.
Ménagez un jeu de 2 mm entre le chant du fond en contreplaqué et le fond de la rainure.
Le fond passe sous le dos du tiroir et joue librement dans les rainures ménagées sur la face intérieure de la façade et des côtés.

TIROIR À FAÇADE EN APPLIQUE

ontale en applique, telle elle du tiroir présenté sur illustration. De plus, ce 1ode de construction évite ue le tiroir ne soit enfoncé op profondément et ne ienne buter contre le fond u meuble.

Si vous optez pour un roir encastré, vous devrez isser une butée de sécurité ur le support ; cette petite ièce de bois stoppera la ourse du tiroir, empêchant ous dommages sur le fond u meuble.

Un tiroir doit coulisser ans son logement avec uste assez de jeu pour réagir ux mouvements saisonniers u bois ; à cet égard, une lame d'air périphérique de 2 mm est généralement suffisante. On ménage généralement un jeu périphérique de 2 mm par temps humide, et de 3 mm par temps sec.

Pour un tiroir encastré, la largeur de la feuillure devra être équivalente à l'épaisseur d'un côté plus 2 mm, une marge destinée à faciliter l'ajustement final. La feuillure d'un tiroir en applique aura une largeur égale à la largeur souhaitée du débord plus l'épaisseur d'un côté plus 2 mm de marge d'ajustement. Non visibles, les côtés sont le plus souvent taillés dans du contreplaqué, ou dans un bois massif d'une qualité inférieure à celle du bois employé pour la face avant. Leur épaisseur est généralement comprise entre 13 et 16 mm ; elle est parfois supérieure, notamment lorsque ces éléments sont rainurés sur leur face extérieure pour recevoir des coulisses fixées sur la carcasse du meuble.

Il est parfois nécessaire de raboter les faces extérieures des côtés à la main pour faciliter le glissement du tiroir dans son logement. Certains ont d'autre part pour habitude de d'arrondir les chants supérieurs des côtés afin de les rendre plus agréables à l'œil et au toucher.

À l'instar des côtés, le dos du tiroir est généralement constitué d'un matériau de qualité ordinaire (contreplaqué de 13 mm ou peuplier). Il peut être rainuré, si le fond en contreplaqué est emboîté - il convient alors de ménager un jeu périphérique d'environ 2 mm -, ou bien taillé à dimension si le fond est simplement cloué ; dans ce dernier cas, celui-ci doit légèrement dépasser de l'arrière du tiroir.

Nous présentons ci-contre quelques variantes possibles dans les modes de construction d'un tiroir. Le tiroir monté sur coulisses, d'une construction relativement aisée, convient particulièrement au débutant : façonnez une entaille d'environ 15 mm de large sur la face extérieure de chacun des côtés, puis fixez deux coulisses en bois de dimensions correspondantes sur les parois du meuble. Ceci fait, il ne reste plus qu'à emboîter le tiroir sur les coulisses.

Parmi les autres modes de support, on rencontre le cadre emboîté ou tourillonné aux parois du meuble. Souvent habillés d'une fine plaque de contreplaqué, ces cadres constituent de solides assises pour les tiroirs ; ils sont le plus souvent utilisés sur les meubles haut de gamme. On peut également monter un rail de guidage central sous le tiroir, ou fixer un support latéral profilé en L sur les deux parois du meuble.

SUPPORTS DE TIROIRS

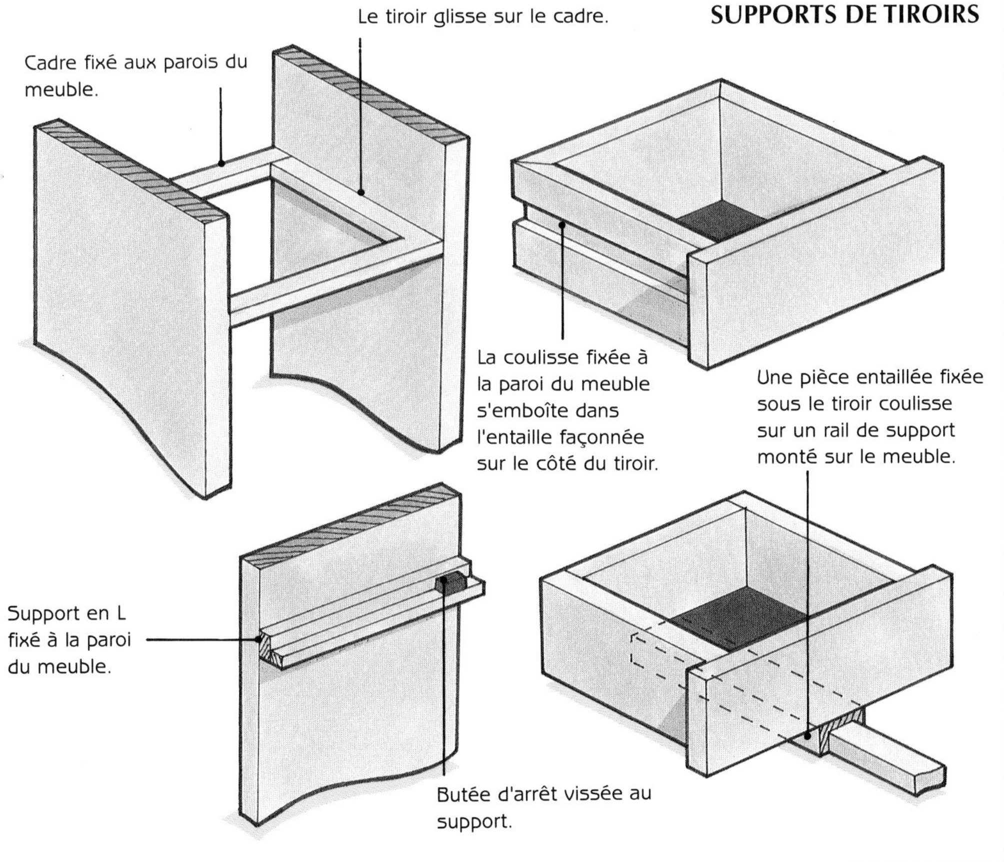

Le tiroir glisse sur le cadre.
Cadre fixé aux parois du meuble.
La coulisse fixée à la paroi du meuble s'emboîte dans l'entaille façonnée sur le côté du tiroir.
Une pièce entaillée fixée sous le tiroir coulisse sur un rail de support monté sur le meuble.
Support en L fixé à la paroi du meuble.
Butée d'arrêt vissée au support.

ASSEMBLAGE À LANGUETTE BÂTARDE ET RECOUVREMENT (DÉFONCEUSE)

L'assemblage à languette bâtarde et recouvrement est fréquemment employé pour les tiroirs. Il est moins visible que l'assemblage à rainure et languette bâtarde (voir page 69), auquel il ressemble.

Façonnées, comme les autres éléments, à la défonceuse, les languettes bâtardes s'emboîtent dans les côtés du tiroir afin d'amortir les contraintes liées à son ouverture ou sa fermeture.

La face avant du tiroir présenté ici est une pièce de noyer cendré de 22 mm d'épaisseur ; les côtés et le dos sont en pin de 16 mm d'épaisseur. Les deux abouts de la face avant sont rainurés verticalement, ainsi que les faces intérieures des deux côtés.

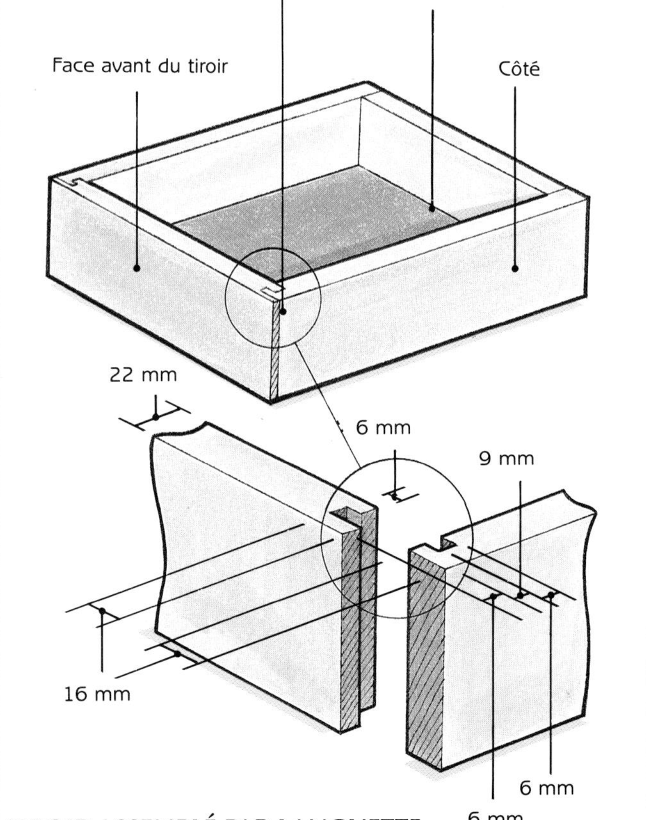

TIROIR ASSEMBLÉ PAR LANGUETTE BÂTARDE ET RECOUVREMENT

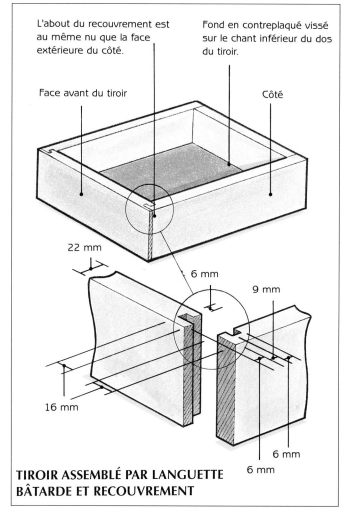

1. Pour tracer l'assemblage, divisez chacun des abouts de la face avant en trois sections verticales : l'épaisseur du recouvrement, la largeur de la rainure, et l'épaisseur de la languette bâtarde, ici de 6 mm, qui sera taillée et emboîtée dans un des côtés du tiroir. Ayez soin d'effectuer ce traçage à l'aide d'une équerre droite. Les dimensions respectives de ces trois éléments ne sont pas imposées ; si vous le souhaitez, adaptez celles-ci au diamètre des fraises dont vous disposez. Pour ma part, j'ai choisi les cotes suivantes : 6 mm pour le recouvrement, 9 mm pour la rainure et 6 mm pour la languette bâtarde.

.. Placez ensuite la face avant contre l'un des côtés pour tracer sur ce dernier l'emplacement de la rainure. La distance entre le bord arrière de la rainure et l'about du côté doit être égale à l'épaisseur de la face avant du tiroir moins le recouvrement.

2

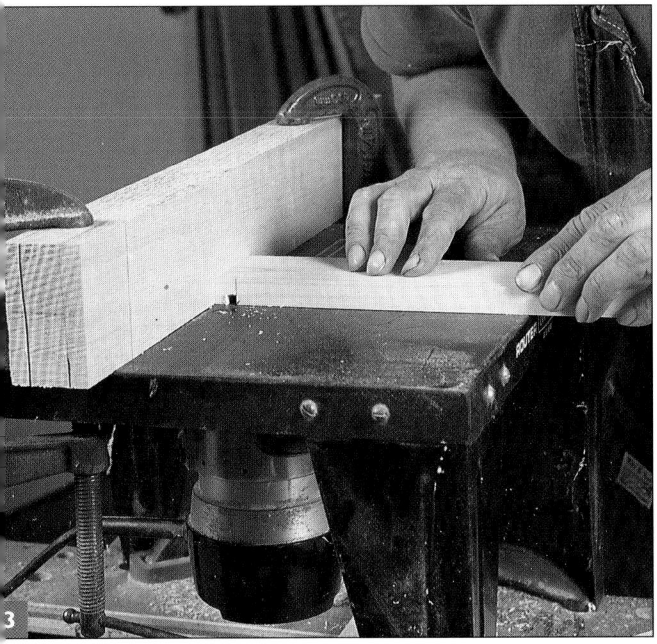
3

4

. Large de seulement 6 mm, la rainure du côté peut être façonnée en une seule passe à l'aide d'une défonceuse montée sur table. Pour effectuer la découpe, appuyez l'about du côté sur un guide latéral fixé au moyen de serre-joints, puis faites avancer la pièce vers la fraise. Répétez l'opération pour façonner la rainure du deuxième côté.

4. Après avoir façonné les rainures des deux côtés, ajustez une nouvelle fois les pièces entre elles pour tracer les rainures sur les abouts de la face avant du tiroir. Leur largeur est ici de 9 mm.

5. La profondeur des rainures doit être égale à l'épaisseur des côtés : après assemblage, les faces extérieures des deux côtés seront exactement au même nu que les abouts des recouvrements de la face avant. Encore une fois, effectuez le traçage en ajustant les pièces entre elles plutôt que par report de mesures.

7. Il vous faut maintenant tailler à longueur les languettes bâtardes afin que les pièces puissent être assemblées. Effectuez cette opération à l'aide d'une scie circulaire sur table ou, à défaut, d'une scie à dos.

6. Pour façonner les rainures, appuyez la face avant, placée sur about, contre le guide latéral, puis faites glisser doucement la pièce de bois vers la fraise. Procédez à la découpe en une seule passe à l'aide d'une fraise de 9 mm de diamètre. Si vous ne disposez que d'une fraise de 6 mm de diamètre, effectuez la découpe en deux passes successives, en plaçant une cale de 3 mm sur le guide latéral après la première passe.

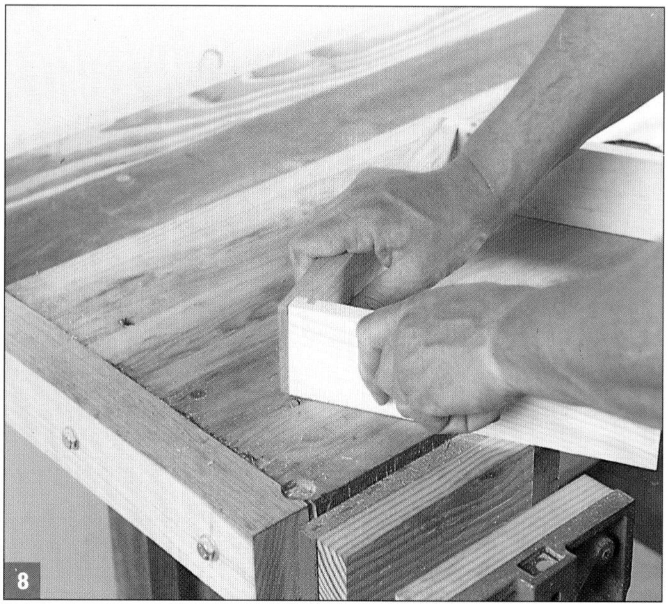

8. Ajustez les pièces entre elles et vérifiez soigneusement les découpes afin de procéder à l'assemblage final.

'. TABLES

· construction d'une table peut sembler un ·ojet trop ambitieux si vous êtes peu ‹périmenté ; pourtant, les assemblages ilisés vous sont, pour la plupart, déjà connus.

SSEMBLAGE À TENON ET MORTAISE JR PIED D'ANGLE

s découpes liées à cet semblage ne sont pas plus ficiles que celles permet- it le façonnage de tenons mortaises simples. Ici, l'un des éléments est un massif pied de table de section carrée ; l'autre est une traverse, pièce moins épaisse et de section rectangulaire.

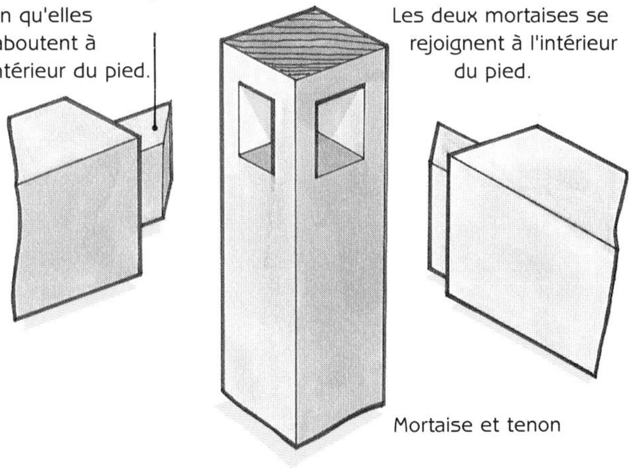
Taillez les extrémités des tenons en onglet afin qu'elles s'aboutent à l'intérieur du pied.
Les deux mortaises se rejoignent à l'intérieur du pied.
Mortaise et tenon

TENON ET MORTAISE SUR PIED D'ANGLE

1

1. Façonnez les mortaises ainsi que décrit précédemment, à l'aide d'outils à main ou d'une défonceuse. Employez la méthode qui vous convient le mieux.

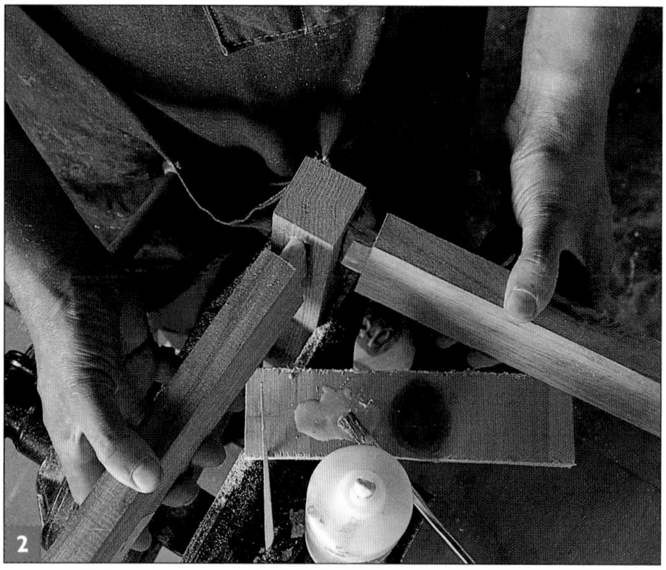

2. Si le pied est de faible épaisseur, taillez les extrémités des tenons en onglet de façon à ce qu'elles s'aboutent à l'intérieur du pied.

3. Vous pouvez également assemblez les pieds et traverses à l'aide de tourillons (construction moins résistante qu'un assemblage à tenon et mortaise). De même, renforcez l'assemblage, si vous le souhaitez, au moyen de cales de bois placées dans les angles.

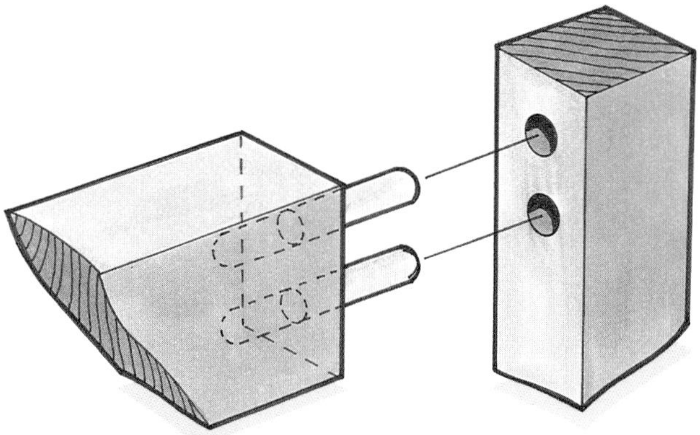

3 TOURILLONS

MONTAGE DU PLATEAU SUR LE PIÉTEMENT

Une grande table en bois massif est un objet magnifique, mais qui, hélas, a souvent la fâcheuse habitude de " s'autodétruire ". Comme nous l'avons vu, le bois est sujet aux déformations ; pour cette raison, les plateaux de table posent souvent des problèmes aux artisans.

Il existe plusieurs méthodes pour assembler un plateau de table à un piétement en prenant en compte les éventuels mouvements du bois. L'une d'entre elles consiste à utiliser des cales d'ébéniste ; ces petites pièces de bois, que l'on visse au plateau, sont dotées d'une languette qui s'emboîte dans une rainure ménagée sur les deux grandes traverses. Les cales accompagnent les éventuels mouvements du bois en glissant dans les rainures. Les erreurs les plus fréquentes, lors du montage d'un plateau de table, consistent à sous-estimer la longueur de la vis ou bien à exagérer la profondeur du fraisage pour la tête. Il est franchement décourageant de s'apercevoir, après montage, que les vis ont traversé la face supérieure du plateau, objet de tant de soins. On peut également fixer le plateau en posant des vis directement sur les traverses ; posez alors une seule vis au milieu de des deux traverses transversales.

Façonnez un trou plus large que le diamètre de la vis et placez une rondelle entre celle-ci et le bois, de façon à accommoder les éventuelles déformations.

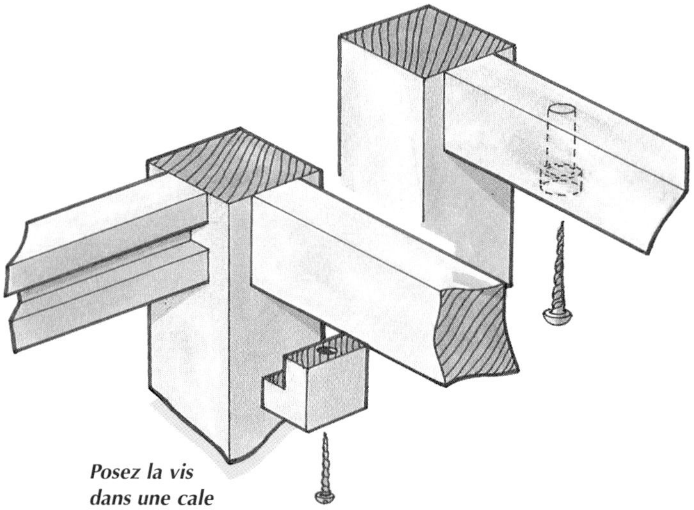

Posez la vis dans une cale d'ébéniste ou bien dans un trou surdimensionné.

ASSEMBLAGE À ENFOURCHEMENT SUR ANGLE

Il consiste en l'emboîte-
ment, dans une mortaise tra-
versante et ouverte, d'un
tenon, dont la face supé-
rieure et l'about demeurent
apparents. De par la dimension des surfaces en contact,
cet assemblage est l'un des
plus solides, mais il est parfois difficile d'obtenir un
parfait ajustement entre les
composants.

Ce joint s'avère particu-
lièrement efficace pour la
liaison de l'extrémité supérieure d'un pied de table à
un élément horizontal, ou
dans une situation où les
contraintes sont exercées
vers la base de la mortaise.
À l'inverse, il ne convient
pas à l'assemblage d'une
traverse à la base d'un pied
de table ; dans ce cas, la
résistance à la pression du
joint ne réside plus que dans
l'encollage, ce qui, à la
longue, serait insuffisant.

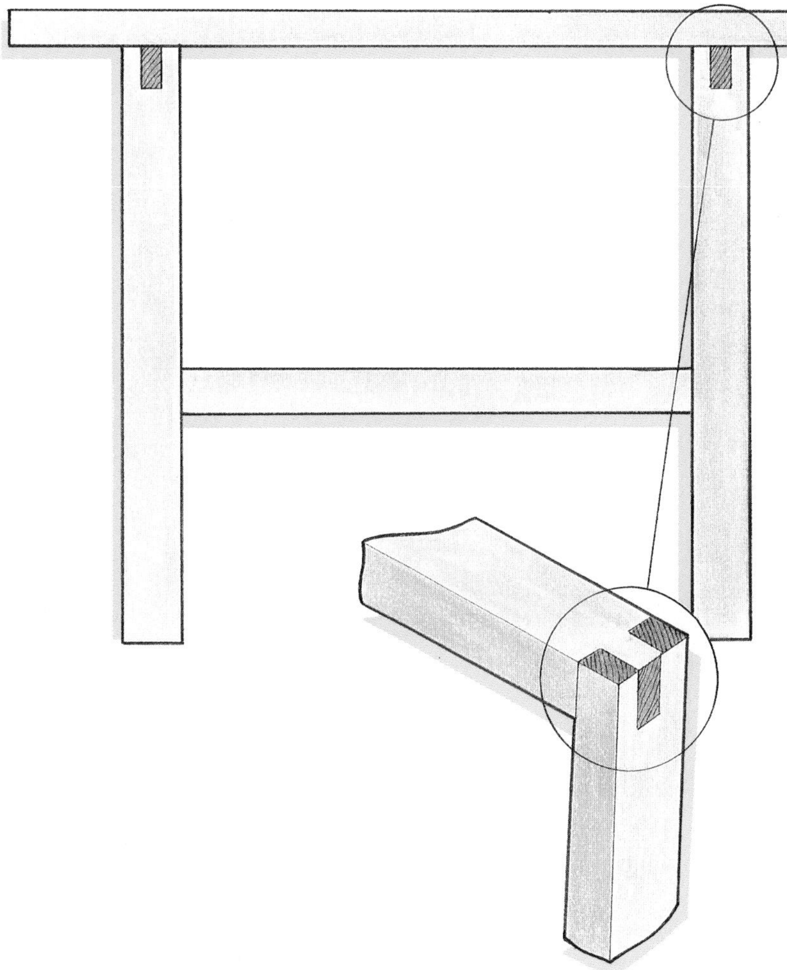

ASSEMBLAGE À ENFOURCHEMENT SUR ANGLE

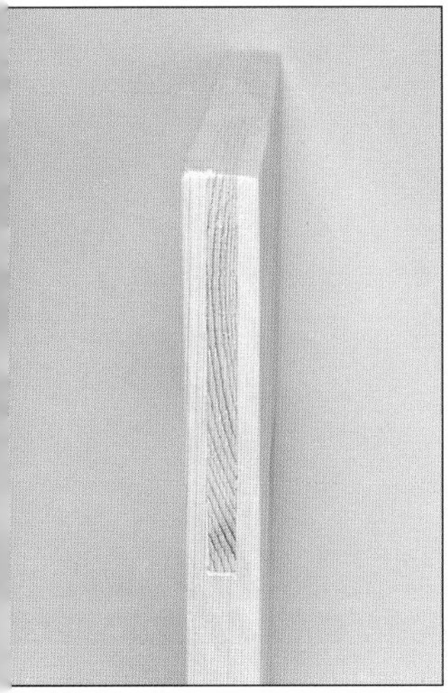

1. Positionnez les composants
à assembler afin de tracer
les lignes d'épaulement du
tenon et de la mortaise.
Pour une précision optimale,
effectuez ce travail à l'aide
d'une équerre droite.

2. Aidez-vous d'un trusquin de traçage pour marquer le tenon et la mortaise sur les deux chants et l'about de chacune des pièces. Prolongez le traçage jusqu'aux lignes d'épaulement.

3. Fixez tour à tour chacune des pièces dans l'étau de l'établi pour procéder aux découpes. Placez la lame de la scie sur la limite extérieure du traçage côté bois de rebut, c'est-à-dire vers l'intérieur de la pièce pour la découpe de la mortaise et vers l'extérieur pour celle du tenon.

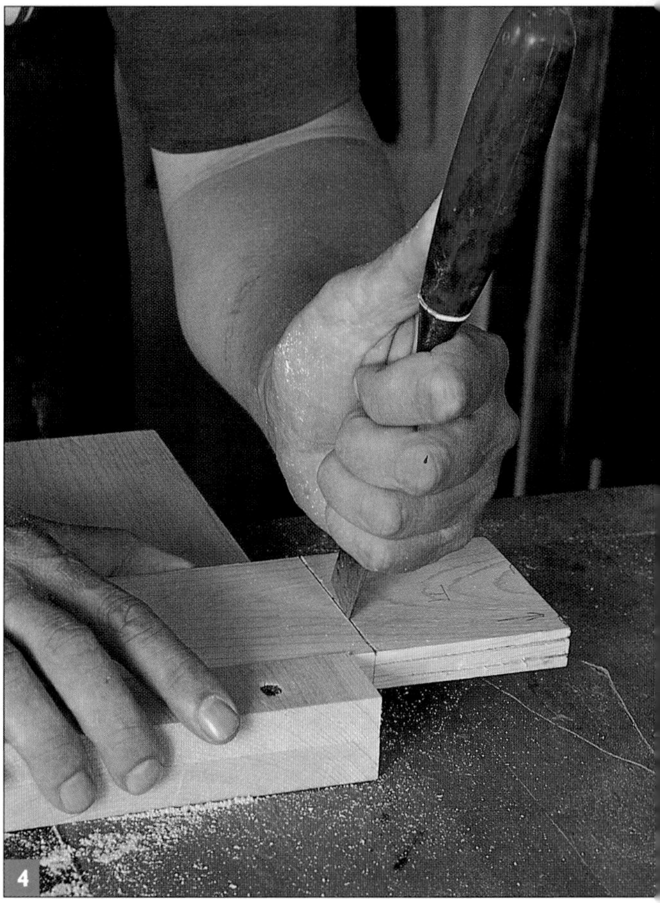

4. Avant de procéder à la découpe des épaulements, marquez le traçage en profondeur à l'aide d'un ciseau droit. Pour un meilleur contrôle de l'outil, effectuez cette opération par plusieurs passes successives. Certains donnent à cette petite entaille un profil en V afin de faciliter l'amorce de la découpe.

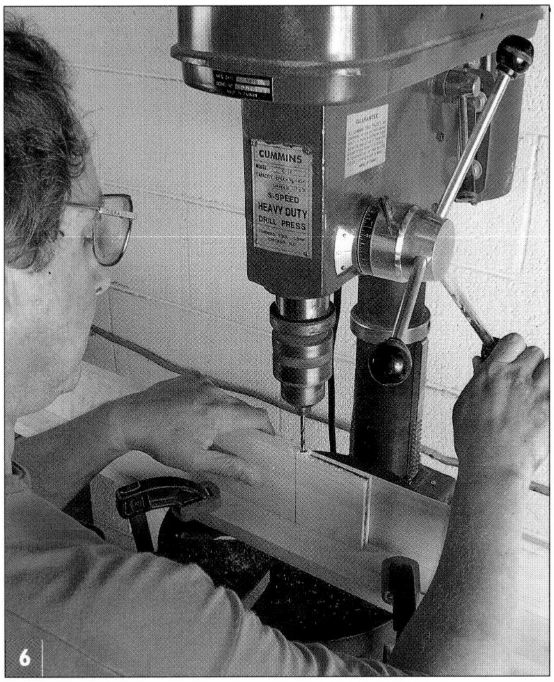

6. Retirez le rebut de la mortaise à l'aide d'un ciseau d'une largeur de lame adéquate. Travaillez alternativement de chacun des côtés vers le centre. Comme pour le façonnage d'une queue d'aronde, rentrez légèrement la découpe pour garantir un parfait ajustement des deux composants. On peut également effectuer ce travail en perçant un trou non loin du fond de la mortaise à l'aide d'une mèche de diamètre adéquat ; le plus gros du rebut est ainsi retiré en une seule fois.

Tronçonnez la ligne d'épaulement en plaçant la lame de la scie à dos dans la rainure précédemment façonnée. Une cale d'établi s'avère très pratique pour maintenir la pièce durant la découpe.

7. Collez les pièces en place et maintenez l'assemblage à l'aide de serre-joints jusqu'à séchage complet.

TRAITEMENT DES CHANTS

Une défonceuse montée sur table est idéale pour le travail sur chants et le modelage de diverses formes dans le bois. La fraise quart-de-rond utilisée ici (1) est dotée d'un pilote qui permet de guider la pièce de bois durant la découpe.

Faites avancer la pièce travaillée selon une direction inverse à celle de la rotation de la fraise. Effectuez deux passes successives pour obtenir une finition soignée ; la première passe suffit à enlever la plus grande partie du rebut, tandis que la seconde, pour l'essentiel, lisse la surface travaillée.

L'installation d'une défonceuse en poste fixe peut être réalisée de manière très simple. Pour ma part, j'utilise une petite table commercialisée à cet effet, que je fixe à l'aide de serre-joints sur un établi-étau portable (2). Ce dispositif m'est si utile qu'il reste monté de façon permanente dans mon atelier. En guise de guide latéral, lorsque le besoin s'en fait sentir, j'emploie un tasseau de bois fixé sur la table au moyen de serre-joints.

On peut également se servir de ce montage pour façonner rainures, entailles ou moulures dans la longueur d'une pièce de bois ; soyez sûr, alors, d'utiliser un guide latéral et des poussoirs pour conduire le bois (3).

1

3

2

.SSEMBLAGE À TENON ET MORTAISE ENFORCÉ PAR COINS

es coins sont de fines ımelles de bois taillées en que l'on enfonce dans about du tenon pour le loquer dans la mortaise. 'assemblage est ainsi gran-ement solidifié. La tech-ique du tenon renforcé ar coins est utilisée de eux façons distinctes par rofessionnels.

La première technique, ite du tenon " en queue de ɛnard ", s'applique aux ıortaises borgnes. Dans son spect fini, cet assemblage e peut être distingué d'un ssemblage à tenon et mor-ıise classique. Les deux oins insérés dans l'about du ɛnon butent contre le fond de la mortaise au moment de l'emboîtage ; ils s'enfoncent dans le tenon et le bloquent solidement en place.

En plus d'une solidité accrue, le deuxième mode d'assemblage apporte une touche décorative, due à l'affleurement des coins et de l'about du tenon traversant sur l'une des pièces de bois. On utilise, pour cette technique, soit un coin unique, généralement placé au centre du tenon, soit deux coins que l'on enfonce dans le tenon ou de part et d'autre de celui-ci.

Pour bien réaliser ces deux assemblages, il faut savoir déjouer quelques pièges diaboliques.

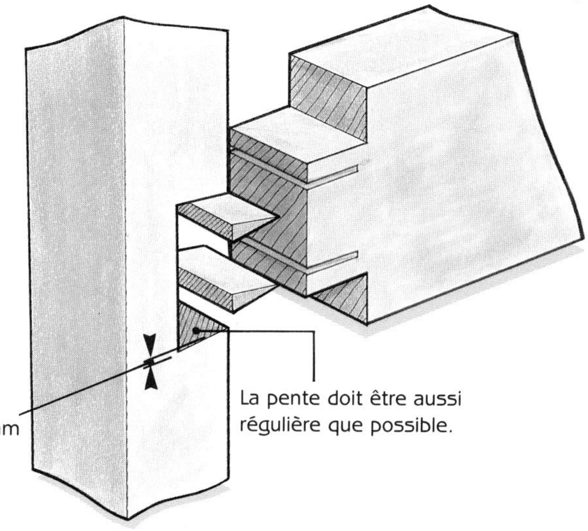

La longueur du coin doit être égale à la distance entre le fond de la mortaise et la base du trait de scie.
La pente doit être aussi régulière que possible.
3 mm

TENON " EN QUEUE DE RENARD "

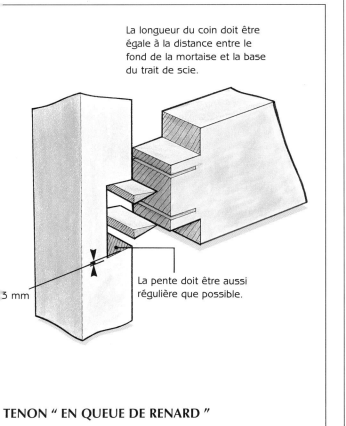

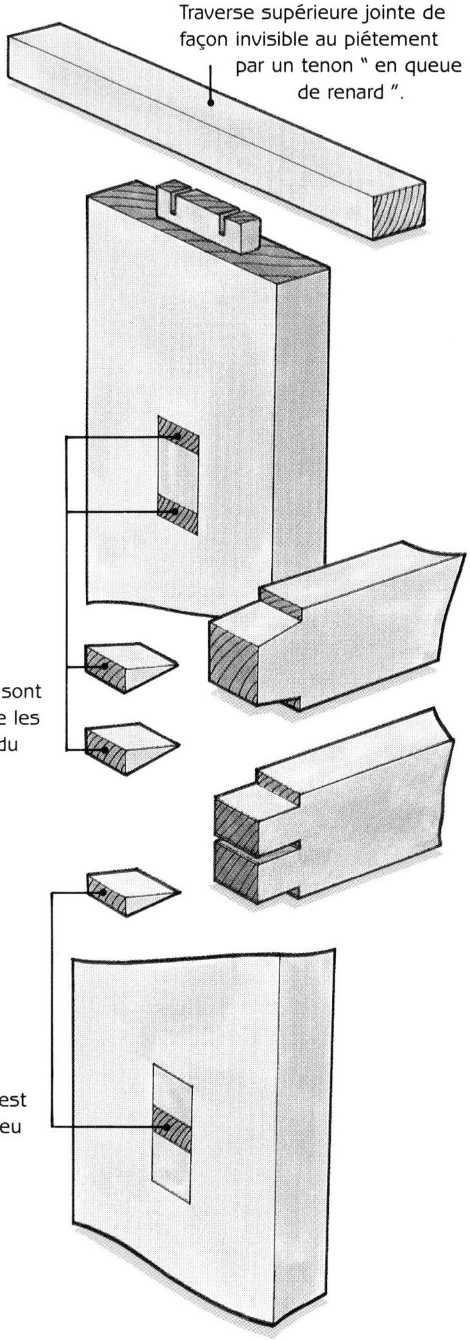

Les deux coins sont enfoncés contre les chants évasés du tenon.
Le coin unique est enfoncé au milieu du tenon.

TENON TRAVERSANT À DEUX COINS OU COIN UNIQUE

Il est nécessaire, dans les deux cas, d'évaser légèrement les abouts de la mortaise afin que le tenon élargi puisse s'y loger. Un dimensionnement précis des coins est également indispensable.

Faute d'établir soigneusement en accord les dimensions du tenon, de la mortaise et des coins, l'assemblage sera trop lâche ou le tenon impossible à emboîter complètement. Ceci est particulièrement gênant pour un assemblage " en queue de renard ", qui ne peut plus être modifié dès lors que le tenon est emboîté. Pour cette seule raison, nombre de travailleurs du bois renoncent tout simplement à y recourir.

Le problème se pose moins dans le cas d'un tenon traversant ; ici, il est possible d'évaluer le jeu disponible et de corriger la forme des éléments en conséquence. De plus, il est possible de tailler tenon et coins à une longueur supérieure à la cote, puis de les araser après assemblage.

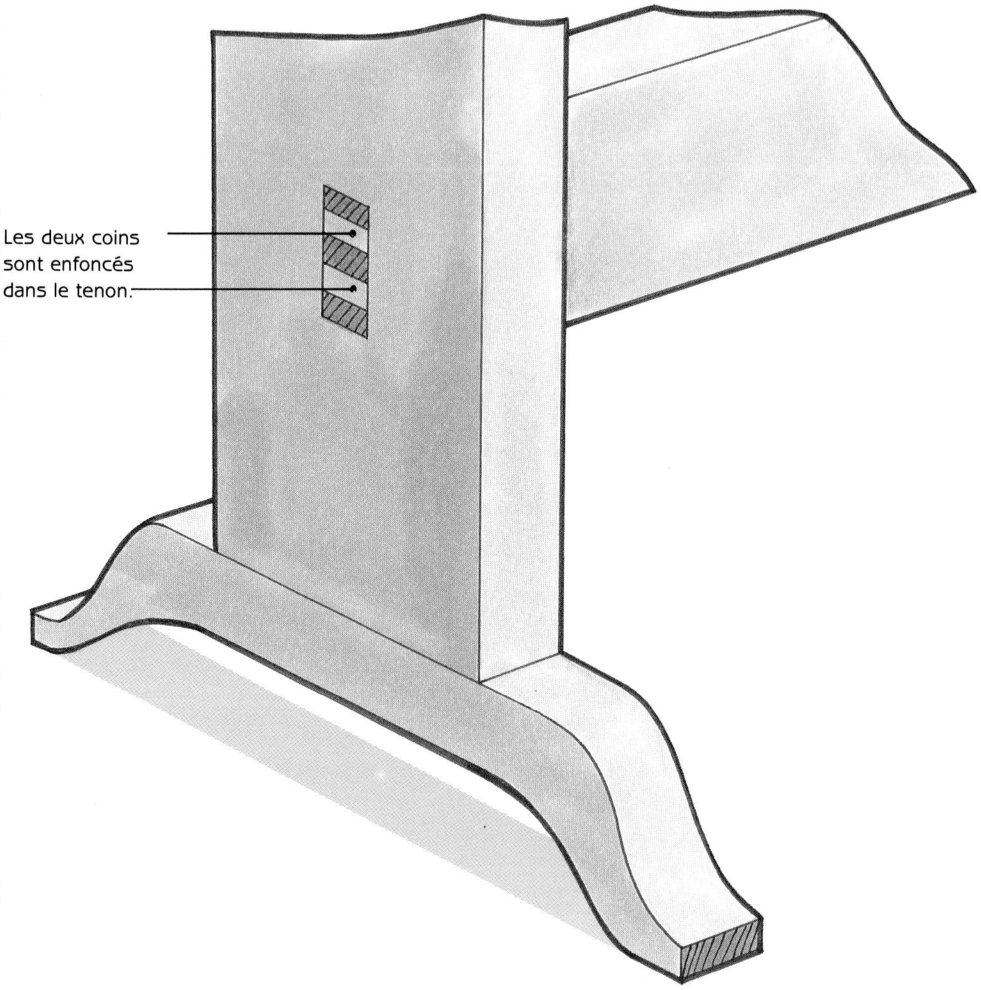
Les deux coins
sont enfoncés
dans le tenon.

ASSEMBLAGE À TENON ET MORTAISE RENFORCÉ PAR DEUX COINS

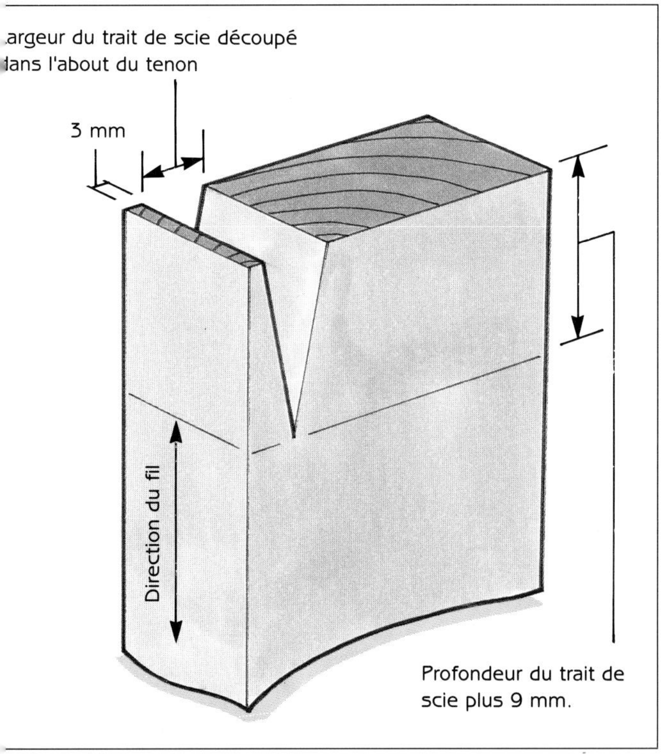

1. Les techniques de découpe des assemblages à tenon et mortaise renforcés par coins sont les mêmes que celles employées pour le façonnage des mortaises simples, borgnes ou ouvertes, et des tenons qui leur sont associés. Découpez d'abord la mortaise, puis le tenon. Dans le cas d'un assemblage " en queue de renard ", évasez légèrement vers le bas les faces supérieure et inférieure de la mortaise borgne en conservant, à chaque fois, une surface aussi plane que possible. Effectuez ce travail sans précipitation, à l'aide d'un ciseau ou d'une gouge correctement affûtés ; un tranchant émoussé est peu efficace, surtout sur le bois de bout. Pour finir, arasez les inégalités par un passage à la lime, qui vous permettra d'obtenir deux pentes parfaitement planes.

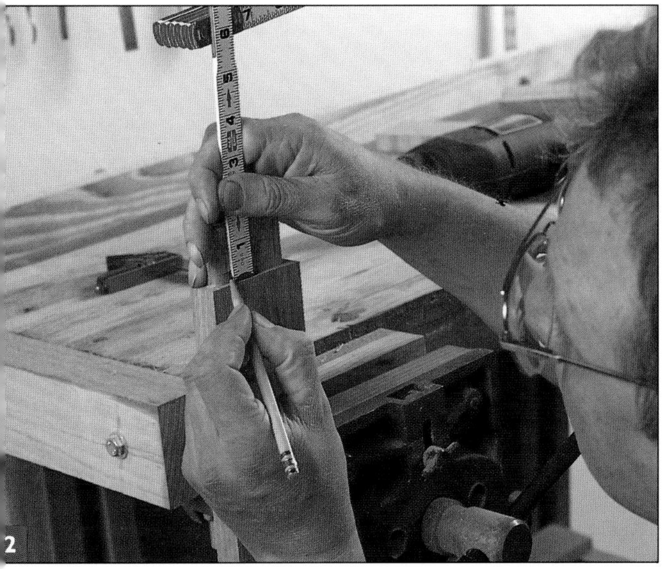

. Après avoir façonné le tenon, ménagez un ou deux traits de sciage en travers de l'about. Avec une équerre droite, tracez l'emplacement des traits de sciage sur les joues du tenon en les arrêtant à 5 mm de l'épaulement.

3. Pour éviter que les traits de sciage ne s'allongent au moment de l'emboîtement du tenon, percez à la base des lignes tracées un trou d'un diamètre légèrement supérieur à la largeur de la lame.

4. Toujours à l'aide de l'équerre droite, marquez les traits de sciage en travers de l'about. La distance des traits aux chants du tenon est fonction de la flexibilité de l'essence choisie. On ménage généralement une distance minimale de 3 mm ; corrigez au besoin cette valeur en fonction de vos propres expérimentations.

4

5

5. Avec une scie à dos, sciez les deux traits jusqu'aux trous percés précédemment.

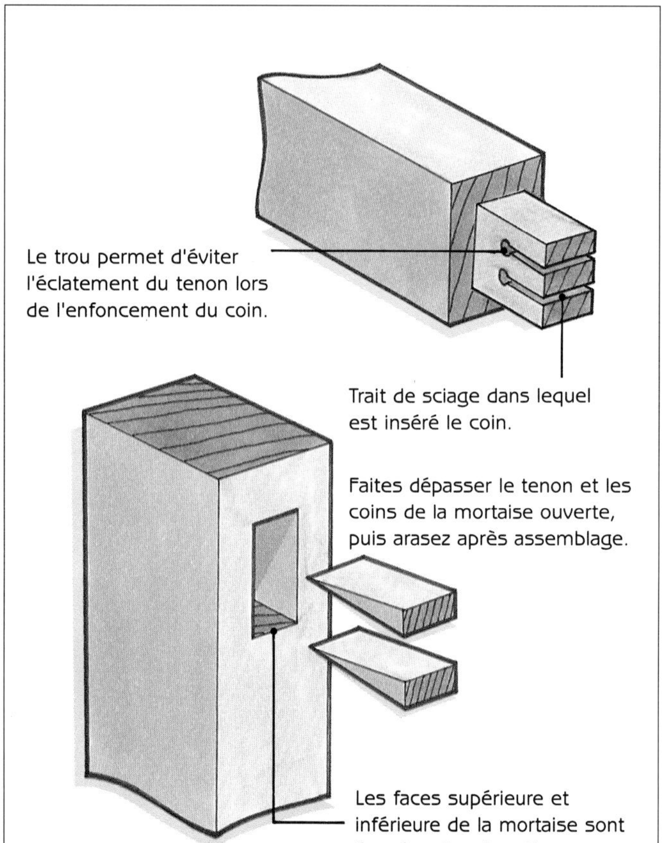
Le trou permet d'éviter l'éclatement du tenon lors de l'enfoncement du coin.
Trait de sciage dans lequel est inséré le coin.
Faites dépasser le tenon et les coins de la mortaise ouverte, puis arasez après assemblage.
Les faces supérieure et inférieure de la mortaise sont évasées d'environ 3 mm vers la base pour absorber l'expansion du tenon.

6

6. La largeur des tenons doit être exactement équivalente à celle du tenon. Dans le cas d'un assemblage " en queue de renard ", les coins devront être d'une longueur égale à l'intervalle entre le fond de la mortaise et la base du trait de scie. Évitez de façonner des coins trop longs ; il vous serait impossible, alors, d'emboîter correctement le tenon.

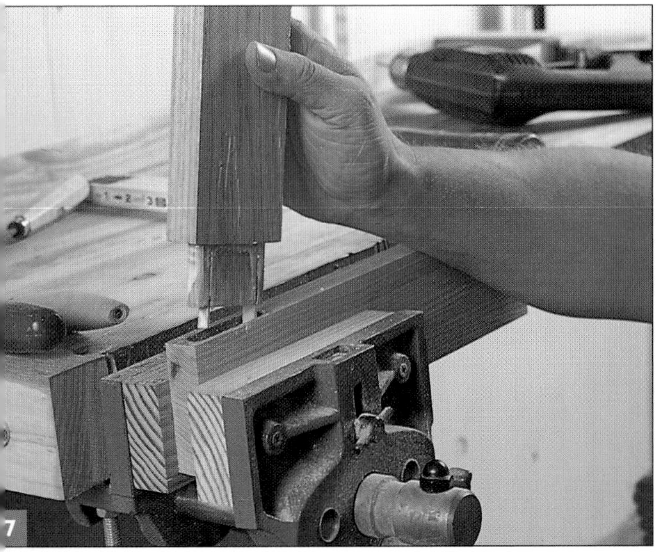

7. Après les avoir enduits de colle, insérez les coins dans les traits de scie ; tapotez-les à l'aide d'un maillet afin qu'ils demeurent solidement en place. Emboîtez le tenon dans la mortaise borgne. Assurez le parfait ajustement de l'ensemble à l'aide d'un serre-joint. Ici, les parois de la mortaise sont maintenues par l'étau de l'établi, mais il est prudent de placer également sous presse l'about de la pièce mortaisée, surtout si la distance entre celui-ci et la mortaise est peu importante ; vous éviterez ainsi tout éclatement du bois.

8. L'assemblage renforcé par coins pour mortaise ouverte et tenon traversant fait appel aux mêmes techniques que la construction précédente. Le façonnage des pentes de la mortaise est ici moins problématique car le résultat obtenu est visible et peut donc être aisément corrigé.

9. Comme précédemment, évasez d'environ 3 mm les abouts de la mortaise ; efforcez-vous d'obtenir deux pentes parfaitement planes. Vérifiez le façonnage à mesure de votre travail à l'aide d'une règle métallique ou de la lame d'une équerre droite.

10. Appliquez une couche de colle à bois sur le tenon et les coins, puis emboîtez le tenon dans la mortaise. Enfoncez les coins dans les traits de sciage à l'aide d'un maillet ; frappez alternativement sur chacun des coins de sorte que le tenon se dilate de manière régulière. Continuez la procédure jusqu'à ce que le tenon soit étroitement imbriqué dans la mortaise (voir page 115), puis arasez les coins.
Si le façonnage des abouts de la mortaise vous semble trop compliqué, biseautez légèrement les chants du tenon, puis enfoncez les coins entre ceux-ci et les abouts de la mortaise.

ASSEMBLAGE À CLAVETTE

Ce mode de construction fait intervenir un long tenon traversant maintenu en place par une clavette amovible. La clavette en forme de coin demeure visible après assemblage, mais offre l'avantage de pouvoir être retirée pour un démontage rapide du meuble construit. Parfois, le transport d'une table dans une cage d'escalier n'est possible que si le plateau du meuble peut être dévissé et son piétement désassemblé.

Cet assemblage convient à la construction de tables et de différentes pièces de mobilier ; pour ma part, j'aime l'utiliser pour façonner des bancs pour enfants. Pensez-y pour consolider une boîte à outils en bois. Les tenons à clavettes remplacent aussi avantageusement les vis et boulons lorsqu'il s'agit d'assembler des éléments longitudinaux porteurs à la tête et au pied d'un lit.

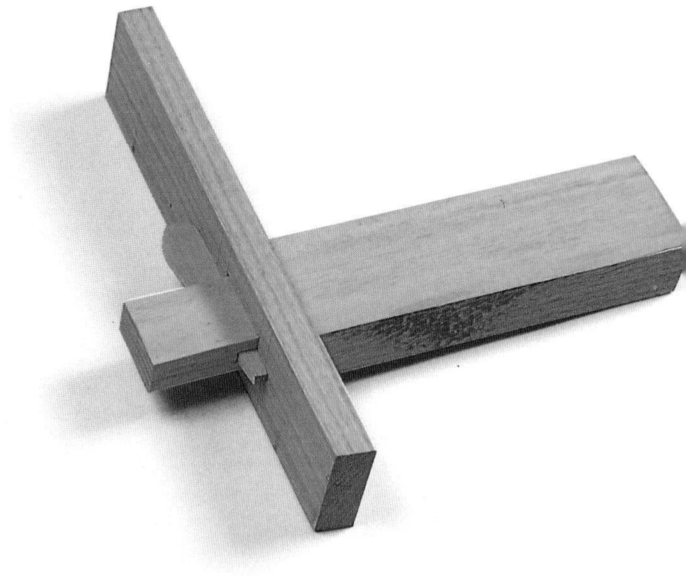

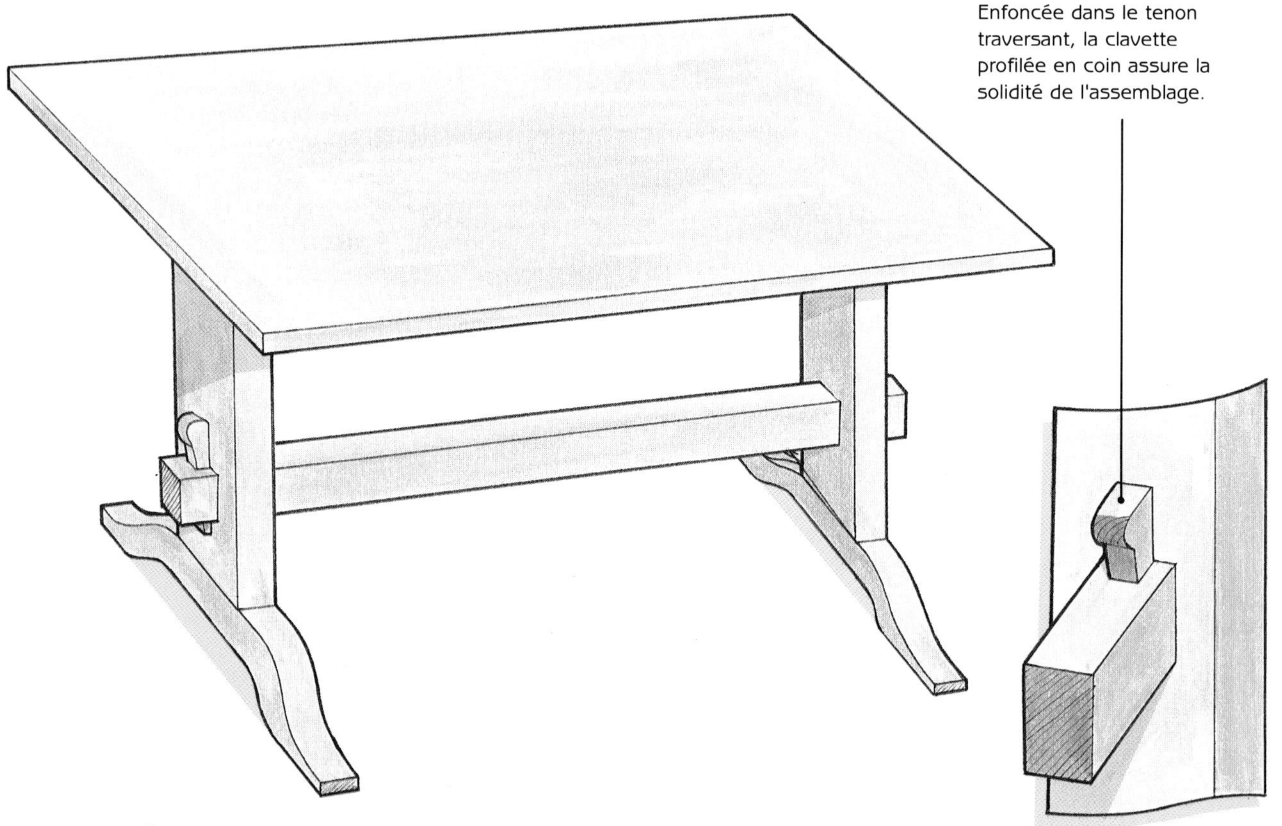

Enfoncée dans le tenon traversant, la clavette profilée en coin assure la solidité de l'assemblage.

ASSEMBLAGE À CLAVETTE

L'assemblage par tenon à clavette diffère très peu des modes de construction à tenon traversant. Les pièces assemblées sont ici un peu plus massives, particulièrement pour les meubles destinés à un usage intensif. L'ajout d'une clavette impose le façonnage d'une mortaise ouverte dans le tenon traversant ; celle-ci sera évasée sur l'une de ces faces et décalée d'environ 3 à 6 mm vers l'intérieur du meuble par rapport au nu du longeron. L'enfoncement d'une clavette dans une mortaise décalée et partiellement évasée garantit un ajustement des plus étroits des deux pièces de bois. De plus, il est très facile de resserrer un joint qui vient à se relâcher ; quelques coups de maillet sur la tête de la clavette font généralement l'affaire.

Certains évasent légèrement les ouvertures supérieure et inférieure de la mortaise recevant la clavette ; ils évitent ainsi les déchirements du bois liés aux montages et démontages successifs ou aux éventuelles mouvements saisonniers.

1. Après façonnage de la mortaise ouverte et du tenon, insérez ce dernier dans la mortaise. Marquez au crayon la ligne d'intersection entre le tenon et la face extérieure du longeron.

2. À l'aide d'une équerre droite, tracez un trait à 3 mm du précédent, côté épaulement du tenon. Ce trait figure la face droite de la mortaise.

3. Tracez la face biaise de la mortaise, opposée à la face droite, à l'aide d'une fausse équerre. Un rapport de 1 pour 6 à 1 pour 8 pour la pente convient le plus souvent.

4. Percez quelques trous dans l'emprise de la mortaise afin de faciliter l'enlèvement du bois de rebut. Les trous peuvent être traversants du côté de la face droite, mais ils devront être arrêtés du côté de la face biaise. Terminez le travail à l'aide d'un ciseau à bois approprié.

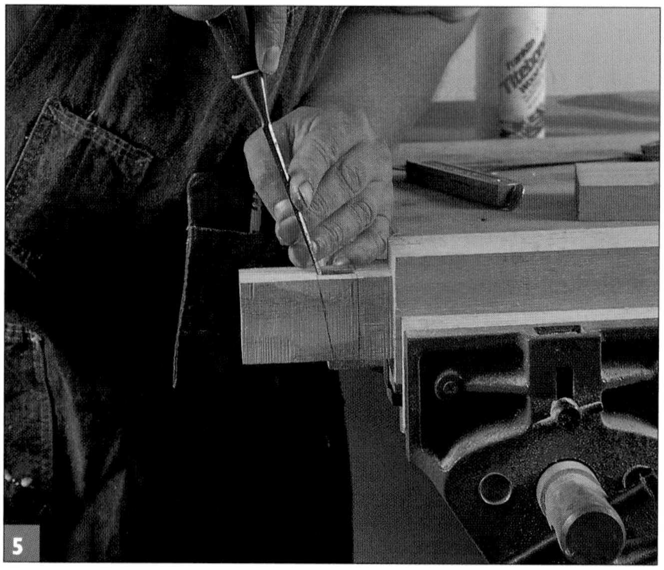

5. Lors du dressage de la face biaise, inclinez le ciseau à bois en vous basant sur le tracé réalisé sur les joues du tenon.

6. Complétez le façonnage de la mortaise en vous aidant, au besoin, d'une petite scie à lame fine.

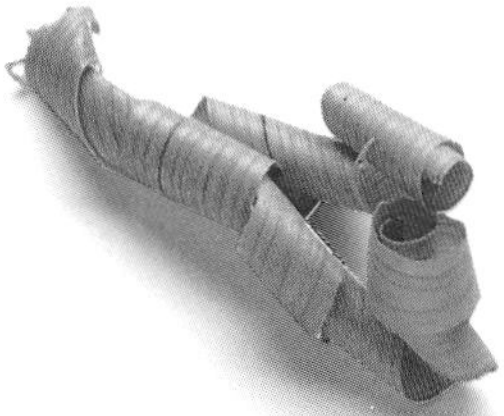

Lissez les quatre faces de la mortaise à l'aide d'une lime. La face biaise doit être parfaitement plane et exempte d'aspérités.

. Découpez les clavettes dans le bois utilisé pour le tenon ou, si vous souhaitez apporter une touche décorative, dans un bois de couleur ou de texture contrastée. Façonnez la face biaise de la clavette selon le même angle que celui choisi pour celle de la mortaise.

9. Procédez à l'assemblage. Emboîtez le tenon dans la mortaise du longeron, puis insérez la clavette dans la mortaise du tenon. Complétez l'enfoncement de la clavette à l'aide d'un marteau.

GLOSSAIRE

À contre-fil
À l'encontre de la direction des fibres dans le plan vertical. Cette direction est souvent visible sur le chant de la pièce travaillée. Un rabotage à contre-fil produit toujours une finition grossière et de mauvaise qualité.

Aubier
Partie du tronc situé entre l'écorce et le bois de cœur. D'une teinte plus claire que ce dernier, l'aubier est constitué de bois neuf dont les cellules diffusent ou emmagasinent les nutriments.

Bois de bout
Chant d'extrémité d'une planche ou de tout autre pièce de bois à fil en long.

Bois de cœur
Partie du tronc, également appelée duramen, située entre la mœlle et l'aubier. Constitué de bois lignifié, le duramen confère à l'arbre sa stabilité.

Bois dur
Bois de débit produit majoritairement par les feuillus.

Bois étuvé
Bois séché artificiellement dans un vaste four. Le bois débité peut également être séché à l'air.

Bois tendre
Bois de débit issu des résineux et de certains feuillus.

Bois vert
Bois non séché.

Entaille
Rainure à fond plat taillée le plus souvent en travers du fil d'une pièce de bois.

Cernes annuels
Dans les régions tempérées, cercles concentriques se formant sous l'écorce à mesure de la croissance de l'arbre. À cause de leur croissance constante et régulière, les arbres tropicaux en sont généralement dépourvus. La partie la plus claire de chaque cerne, appelée bois de printemps, se forme au début du cycle de croissance. L'anneau plus foncé qui succède à la couche précédente est formé par le bois d'été, appelé également bois final.

Chanfrein
Surface plane et inclinée, le plus souvent à 45°, façonnée sur l'arête d'une pièce de bois.

Chasse-clou
Petit accessoire permettant de noyer un clou sous le nu d'une pièce de bois. Pour un résultat optimal, le diamètre de l'embout du chasse-clou doit correspondre à celui de la tête du clou.

Congé
Moulure concave en quart de rond, façonnée sur l'arête d'une pièce de bois, le plus souvent à des fins décoratives.

Construction à fil croisé
Construction fixant en place une pièce de bois contre une autre, de telle sorte que leurs fils se croisent. Lorsqu'il est appliqué à de grandes surfaces, ce mode d'assemblage contrarie les mouvements saisonniers du bois et provoque l'apparition de fentes ou de déformations.

Doucine
Moulure juxtaposant deux courbures de mouvement contraire (convexe et concave).

En travers du fil
Selon une direction perpendiculaire à celle du fil de la pièce travaillée. Sur une planche, le travers du fil correspond à la largeur.

Face de référence
Face dressée d'une pièce de bois à partir de laquelle sont calculées et tracées toutes les mesures nécessaires à son dimensionnement.

Fausse languette
Fine latte de bois permettant l'assemblage de deux composants par emboîtement dans deux rainures coïncidantes.

Feuillure
Retrait partiel à angle droit le long de l'arête d'une pièce de bois.

Flache
Petite dépression à la surface d'une pièce de bois.

Gauchissement
Déformation en hélice dans la longueur d'une pièce de bois, généralement dû à de mauvaises conditions de débitage ou de séchage.

Gélivure
Fissure dans le sens du fil due à un accident de croissance ou à un retrait après séchage.

Gerce de surface
Fente peu profonde courant le plus souvent dans la longueur d'une pièce de bois et généralement due à un séchage trop rapide.

Grain
Texture de la surface d'une pièce de bois, déterminée, entre autres, par l'uniformité et la régularité des pores du bois, par les cernes annuels et par l'angle de découpe de la pièce.

Grain fin
Grain dense formé par de pores de petite taille. Le bois à grain fin présente des cernes annuels peu visibles.

Grain grossier
Grain formé par de pores de grande dimension. Le bois à grain grossier présente le plus souvent des cernes annuelles larges et contrastées.

Loupe
Excroissance maladive se développant sur le tronc de l'arbre. Les placages taillés dans la loupe sont très prisés des ébénistes.

Mèche à pointe filetée
Mèche dotée d'une pointe filetée centrale qui évite les glissements de l'outil sur le bois à l'amorce du perçage.

Mèche anglaise
Mèche plate à bois permettant le perçage de trous de gros diamètre.

Mèche Forstner
Mèche dépourvue de pointe filetée et réservée au perçage de trous à fond plat d'un diamètre pouvant aller jusqu'à 50 mm.

Mèche hélicoïdale
Mèche à deux goujures en hélice, permettant l'évacuation du rebut à mesure du perçage. Les mèches hélicoïdales à métaux de petit diamètre conviennent également au travail du bois.

Mèche-torse
Mèche hélicoïdale de grande longueur utilisée pour le perçage de trous à l'aide d'un vilebrequin.

Nœud
Sur une pièce de bois, trace d'une branche dont l'ancrage a été absorbé par les cernes de croissance. Les nœuds de couleur foncée et non solidaires de la pièce de bois sont appelés nœuds morts.

Vis noyée
Vis dont la tête fraisée repose dans un logement façonné sous le nu de la pièce travaillée. La vis peut être ainsi dissimulée à l'aide de pâte à bois.

Œil d'oiseau
Petit motif circulaire, rappelant un œil d'oiseau, que l'on rencontre sur le bois de certaines essences, et plus particulièrement sur celui de l'érable à sucre.

Rabot à recaler
Petit rabot destiné au lissage des chants et du bois de bout. Le fer des rabots à recaler est monté face biseautée vers le haut, une position inverse de celle du fer des autres rabots à main.

Refente
Découpe longitudinale d'une pièce de bois à fil en long.

Teneur en humidité
Valeur exprimée en pourcentage permettant de déterminer le degré d'humidité d'un bois. Le bois séché présente une teneur en humidité voisine de 15 % ; celle du bois étuvé oscille généralement entre 8 et 10 %.

Trait de scie
Épaisseur de la découpe après passage de la lame.

Traverse
Pièce de bois disposée horizontalement entre deux pieds d'une table ou d'un meuble de grande dimension. Un piétement traditionnel comprend le plus souvent quatre pieds et quatre traverses.

Tronçonnage
Découpe d'une pièce de bois en travers du fil. Pour une planche, il s'agit le plus souvent d'une découpe transversale.

Trusquin d'assemblage
À la différence de celle du trusquin simple, la tige du trusquin d'assemblage comporte deux pointes réglables en acier. Le trusquin d'assemblage permet le traçage sur chant, en une seule opération, des joues d'un tenon ou d'une mortaise.

Trusquin de traçage
Instrument de traçage constitué d'un plateau et d'une tige coulissante traversée, à l'une de ses extrémités, par une pointe d'acier. Il permet de tracer une ligne parallèlement au bord d'une pièce de bois.

Tuilage
Cintrage d'un pièce de bois dans sa longueur, dû le plus souvent à un séchage défectueux.

Veinage
Ensemble des caractéristiques de la surface d'une pièce de bois. Il est formé par la texture du grain, le sens du fil, la densité des cernes annuels, la répartition des couleurs, la méthode de débitage et les éventuelles traces des maladies.

INDEX

Les chiffres en italique renvoient aux illustrations.